D1633284

Two week
loan

ŒUVRES DE PIERRE BENOIT

ROMANS

Kœnigsmark
L'Atlantide
Pour Don Carlos
Le Lac salé
La Chaussée des Géants
Mademoiselle de la Ferté
La Chatelaine du Liban
Le Puits de Jacob
Alberte
Le Roi lépreux
Axelle
Erromango
Le Soleil de Minuit
Le Déjeuner de Sousceyrac
L'Ile verte
Fort-de-France
Cavalier 6
suivi de L'Oublié
Monsieur de la Ferté
La Toison d'or
Feux d'artifice a Zanzibar
Fabrice
Flamarens
Les Amours mortes
Boissière
La Dame de l'Ouest
Saint-Jean-d'Acre
suivi de La Ronde de Nuit
Les Compagnons d'Ulysse
Bethsabée
Notre-Dame de Tortose
Les Environs d'Aden
Le Désert de Gobi
Lunegarde
Seigneur, j'ai tout prévu
L'Oiseau des Ruines
Jamrose
Aïno
Le Casino de Barbazan
Les Plaisirs du Voyage
Les Agriates
Le Prêtre Jean
Villeperdue
Montsalvat
La Sainte Vehme
Le Commandeur

POEMES

Diadumène
Les Suppliantes

Parus dans Le Livre de Poche

Mademoiselle de la Ferté
Le Lac salé
Monsieur de la Ferté
Pour Don Carlos
L'Atlantide
Erromango
La Chatelaine du Liban
Alberte
La Chaussée des Géants
Le Roi lépreux
Le Soleil de Minuit
Le Déjeuner de Sousceyrac
Le Puits de Jacob
Le Désert de Gobi
Axelle *suivi de* Cavalier 6
Les Compagnons d'Ulysse

PIERRE BENOIT
DE L'ACADÉMIE FRANÇAISE

Kœnigsmark

ALBIN MICHEL

PQ 2603.E583.A61.K6

25273

© *Albin Michel, 1934.*

Droits de traduction, reproduction, représentation théâtrale et adaptation cinématographique réservés pour tous pays.

X25016/930

Ces vieux châteaux de la Saxe galante et du Hanovre électoral, ces gothiques palais, mornes et silencieux au-dehors, féeriques au-dedans, avec leurs lambris d'or massif, leurs tentures de brocart, leurs lourdes portières de tapisseries, quel étrange et fantastique spectacle ne deviennent-ils pas pour nous ? La tragédie s'y confond avec la pastorale : à chaque porte heurte l'intrigue ; le long des corridors à demi éclairés, l'amour mène sa sarabande...

BLAZE DE BURY.

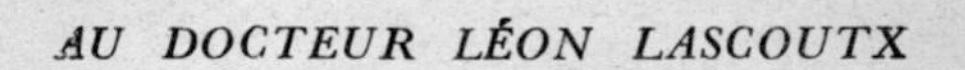

AU DOCTEUR LÉON LASCOUTX

AVANT-PROPOS

Longtemps, j'ai hésité à rendre à la vie le dépôt que je tenais de la mort. Et puis, songeant que le lieutenant Vignerte et celle qu'il aima sont rentrés dans l'ombre éternelle, j'ai pensé qu'il n'y avait plus aucune raison de faire le silence sur les tragiques événements dont fut le théâtre, dans les mois qui précédèrent immédiatement la Grande Guerre, la cour allemande de Lautenbourg-Detmold.

P. B.

WELSH COLLEGE OF ADVANCED TECHNOLOGY
LIBRARY
CARDIFF

PROLOGUE

« Rompez les faisceaux. »

D'elle-même, avec cette habitude qui économise les commandements, la masse sombre de la compagnie fit à droite par quatre.

La nuit tombait, désolante et froide, striée de longues raies liquides. Il avait plu tout le jour. Au milieu de la clairière, des flaques d'eau reflétaient, encore pâles, le ciel vert-de-gris.

Un ordre tomba : En avant.

La petite troupe se mit en marche. J'étais en tête.

A la lisière du bois se dressait un pavillon, sorte de folie dix-huitième siècle; deux ou trois obus à peine en avaient ébréché les ailes. Les lustres de la grande pièce du rez-de-chaussée, multipliés dans les glaces, étincelant à travers les hautes vitres, rendaient plus sinistre et plus noire cette nuit descendante d'octobre.

Cinq ou six ombres, avec de longues pèlerines, se profilaient au-dehors sur cette lumière.

« Quelle compagnie, lieutenant?

— 24e du 218e, mon général.

— Vous prenez les tranchées au Blanc-Sablon?

— Oui, mon général.

— Bien. Dès que votre monde sera casé, vous irez

chercher les ordres au poste de commandement. Votre chef de bataillon les a... Et bonne chance.

— Merci, mon général. »

Dans l'obscurité, les hommes avaient d'extraordinaires silhouettes de bossus, courbés sur leurs bâtons, avec, au dos, l'étonnant chargement des sacs où ils avaient brellé les objets les plus hétéroclites. La tranchée est une île déserte. Sait-on de quoi on y aura besoin? Aussi les soldats y emménagent-ils tout ce qui est transportable.

Ils observaient un silence grave et bourru, le silence qu'on garde en allant occuper un secteur dont on n'a pas l'habitude. Et puis, le Blanc-Sablon avait mauvaise réputation. La tranchée ennemie était assez éloignée, sans doute, — trois ou quatre cents mètres, — mais la nature du terrain n'avait permis de creuser que de déplorables abris, sans cesse effondrés, maintenus à grand-peine avec des rondins. En outre, c'était un lieu boisé, raviné, où l'on ne voyait pas à cinquante mètres devant soi. Et rien n'est énervant, à la guerre, comme le mystère de l'invisible.

Une voix dit :

« Qui sait si au moins on pourra allumer les bougies? »

Allumer les bougies, cela veut dire jouer aux cartes. On le peut, quand les trous sont suffisamment profonds, avec de bonnes toiles de tente pour en voiler l'entrée.

Un autre murmura :

« Pour combien de temps descend-on là-bas? »

Cette question demeura sans réponse. En octobre 1914, la guerre n'était pas encore devenue une chose administrative, avec relèves fixes, permissions... On ignorait le nombre de jours qu'on resterait dans de mauvaises tranchées, qu'on ne pouvait se résoudre à améliorer :

ce n'est pas la peine. Il y a déjà un mois qu'on est arrêté. Avant la fin de la semaine, on sera sûrement reparti de l'avant.

De mon bâton, je fouillais le sentier forestier, éclairé à trois pas par la pauvre lanterne qu'un soldat cachait sous sa pèlerine. C'est une chose redoutable que d'être guide, dans la forêt, dans la nuit, sur un chemin inconnu. Derrière vous, les hommes, les chefs eux-mêmes, suivent comme des moutons, attentifs seulement à ne pas, dans un arrêt brusque, venir se cogner le nez contre le sac de son prédécesseur, qui est tout leur horizon. Les autres pouvaient penser à la relève, à leur partie de cartes, à chez eux, à n'importe qui... Moi, je n'avais qu'un souci : ne pas fourvoyer cette foule aveugle.

Pas d'autre bruit que le piétinement sourd qui serpentait indéfiniment derrière moi. Les arbres au-dessus de nous faisaient un dôme noir. De temps en temps, en passant dans une clairière, on levait la tête; mais le ciel était aussi sombre que la voûte des branches.

« Où est le lieutenant?

— En tête, mon lieutenant. »

Une main se posa sur mon épaule : celle de Vignerte.

Depuis que notre capitaine, après Craonne, nous avait quittés pour être chef de bataillon dans un autre régiment, Raoul Vignerte, plus ancien que moi, avait pris le commandement de la compagnie. C'était un garçon de vingt-cinq ans, mince, avec une admirable tête brune. Deux mois de guerre nous avaient liés plus que n'auraient pu le faire dix ans de paix. Sans nous connaître avant l'août de 1914, nous n'en avions pas moins des souvenirs communs. J'étais Béarnais, il était Landais. J'avais préparé en Sorbonne l'agrégation d'allemand. Il y avait préparé deux ans plus tard l'agrégation d'histoire. Tour à tour gai et taciturne, il était, en toutes circonstances, un merveilleux commandant de compagnie. Les soldats le trouvaient parfois un peu distant, un peu lunatique, mais ils aimaient sa tranquille bravoure, le souci constant où il était de leur bien-être. Vignerte ne dormait pas, comme moi, avec les hommes. Mais ceux-ci savaient que, s'il l'habitait seul, c'était toujours l'abri le plus démoli, le moins riche en paille, le plus exposé qu'il choisissait.

A mon égard, il n'y avait pas une attention qu'il n'eût, pour me faire oublier que, plus jeune de deux ans, il était mon chef. Pour ma part, enchanté d'avoir à obéir à un tel camarade, j'étais en outre ravi d'échapper à la responsabilité de tous les instants qu'est celle d'un commandant de compagnie. L'établissement des états, les discussions avec le sergent-major et le fourrier, la comptabilité, si réduite qu'elle soit en campagne, ne m'auraient que médiocrement réjoui. Vignerte qui, pendant la retraite, n'avait pas dormi une heure par nuit, qui était sorti le dernier de Guise en flammes et rentré le premier dans La Ville-aux-Bois rasée, ce même Vignerte s'acquittait des plus infimes détails avec une activité méthodique. Par moments, quand je voyais ce charmant intellectuel mettre à ces insupportables besognes toute son attention, il m'était arrivé de penser : Quel dérivatif cherche-t-il? A quelles idées noires veut-il donc se soustraire?... Alors, comme redoutant d'être deviné, il venait à moi avec quelque plaisanterie, et le régiment ne comptait pas de la journée de compagnon plus gai, plus insouciant.

Ce soir, il était dans ses heures de gravité. Quoi d'étonnant, avec la charge de répondre de deux cent cinquante hommes, dans un nouveau secteur? Et puis, il avait peut-être des ordres que j'ignorais encore.

« Où en sommes-nous? demanda-t-il.

— Encore dix minutes de marche pour arriver au poste de commandement », dis-je. Et, plus bas, je l'interrogeai : « Y a-t-il du nouveau?

— Une compagnie du bataillon doit, je crois, effectuer une opération. Mais ce n'est pas à notre tour de marcher. D'ailleurs, je vais rester au poste de commandement. Vous ferez la relève sans moi. J'arriverai un quart d'heure après, avec les ordres. »

C'était vraiment un endroit lugubre, que ce Blanc-Sablon. Au flanc d'un ravin, une forêt naine, défoncée d'obus, avec des saillants boisés, des trous d'ombre et, devant, un chemin barricadé de branchages qui filait vers le village occupé à quelque cent mètres par l'ennemi.

Les soldats, muets jusqu'alors, ne purent se défendre de brefs commentaires.

« Eh bien, vrai! C'est du propre. Ça n'arrive qu'à nous, ces endroits-là...

— Silence! »

La relève a quelque chose d'une figure de cotillon. Commandant de compagnie, chefs de section, caporaux, soldats, doivent immédiatement trouver leur vis-à-vis, le commandant, le chef de section, le caporal, le soldat dont chacun a à prendre la place. Cela s'opère en cinq minutes, sans bruit, sinon l'artillerie ennemie aurait tôt fait de prendre sous son feu ces hommes entassés, dont la moitié n'est pas abritée, et de les anéantir.

Le silence, relativement aisé à obtenir de ceux qui arrivent, s'obtient beaucoup moins aisément de ceux qui partent. La joie de bientôt dormir à l'abri, de se reposer quelques jours à l'arrière, les rend loquaces. Ils donnent des conseils à leurs successeurs :

« Et puis, ne te risque pas à ce créneau. Il y a un

citoyen qui m'en veut, en face. J'y ai tiré trois fois dessus, aujourd'hui; s'il n'est pas mort, il doit vouloir se venger. Alors...

— Silence, donc! »

Vraiment, quel ignoble secteur : quatre, cinq petits postes à fournir, douze sentinelles, sans compter les patrouilles. Ah! mes pauvres diables ne vont pas beaucoup dormir.

« Au revoir, monsieur.

— Au revoir, et merci de votre amabilité. »

C'est l'officier de la compagnie relevée qui prend congé : la rumeur s'efface dans le bois.

Il était temps : voici la lune.

Triste, embuée de brouillard jaune, elle roule au milieu d'un floconnement gris.

Elle éclaire le navrant paysage blanchâtre, les troncs déchiquetés, les glaises labourées. Les hommes ont disparu dans leurs abris. Les sentinelles inclinent vers la terre leur fusil dont il ne faut pas que reluise la baïonnette. Derrière nous, de petits tertres aplatis, avec de touchantes grilles de bois tordu, hautes comme la main, surgissent.

Ce sont les tombes.

Les soldats ne les ont pas vues. Tant mieux! Il est préférable qu'ils ne les aperçoivent que demain, au jour, quand ils seront habitués, quand le soleil versera sur notre monde sa relative gaieté.

*

Mes cinq petits postes, mes douze sentinelles sont placés. La compagnie est installée dans ses taupinières. La moitié qui n'est pas de veille ronfle déjà.

Avec deux hommes de bonne volonté — on en trouve toujours d'éveillés et de curieux — je pars en patrouille.

« Vous direz au lieutenant Vignerte que je suis allé faire la liaison avec la 23ᵉ — qu'il m'attende dans mon abri. Je serai de retour dans un quart d'heure. »

Nous nous coulons le long des haies. A intervalles réguliers, une chandelle lumineuse s'élève de la tranchée allemande, et retombe dans un halo bleu et blafard.

« Qui vive!

— Masséna.

— Melun.

— C'est l'officier de la 24ᵉ qui vient faire la liaison. Rien de nouveau chez vous?

— Non, mon lieutenant. Si ce n'est qu'on s'est accroché avec une patrouille allemande. C'est les coups de fusil que vous avez entendus tout à l'heure. On en a tué un. »

Un corps gît dans l'herbe. Je me penche. Sur la patte d'épaule il y a le numéro 182.

« Et ses papiers?

— Le capitaine les a.

— Bien. Vous avez notre petit poste de droite à cent mètres, ici, dans le boqueteau... Ah! à deux heures, une patrouille passe. Pas de blagues, n'est-ce pas?

— Bien, mon lieutenant.

— Au revoir. »

Je trouve en rentrant Vignerte dans mon abri. Il fume une cigarette.

Je lui demande : « Rien de nouveau?

— Rien, me répond-il, du moins pour cette nuit. Par exemple la 22ᵉ va peut-être écoper. Il y a, devant elle, une corne de bois où nous avons de bonnes raisons pour croire qu'on mijote une sape. La 22ᵉ doit aller voir, et mettre, si possible, du désordre dans ce travail. A six heures du matin, une section part; le reste suit pour appuyer le coup de main. Dès que les détonations

retentiront, la 23e doit donner de la mousqueterie sur la tranchée en face pour la fixer. Nous, nous n'avons à bouger que si les choses se gâtent. Mais, en tout cas, la 23e contre-attaque avant nous. Donc, nuit calme. Et vous, rien de nouveau?

— La compagnie est installée, dis-je. Si mal, d'ailleurs, que je suis sûr qu'il n'y a pas à se méfier. Il y aura toujours une bonne partie d'éveillée. J'ai fait la liaison à droite; là, rien d'important non plus, si ce n'est qu'ils ont eu maille à partir avec une patrouille allemande. Ils en ont démoli un.

— Ah! dit Vignerte. Un fantassin. Un chasseur?

— Un fantassin. Infanterie prussienne, 182e régiment.

— Je suis curieux, dit mon camarade, de savoir d'où viennent les gens que nous avons en face de nous. »

En disant ces mots, il tirait un petit mémento Lavauzelle :

« 160e, Posen — 180e, Altona — 181e, Lippe — 182e, Lautenbourg... Lautenbourg...

— Eh bien? »

Il répéta encore :

« Lautenbourg.

— Vous connaissez cela, Lautenbourg? dis-je, un peu étonné par le son de sa voix.

— Oui, répondit-il gravement. Vous êtes bien sûr du numéro?

— Mais oui, dis-je un peu impatienté. Et puis, qu'est-ce que cela peut faire? De Lautenbourg ou d'ailleurs!

— Evidemment, murmura-t-il. Qu'est-ce que cela peut faire! »

Je le regardai, d'autant plus facilement qu'absorbé comme il était, il ne prêtait aucune attention à moi.

« Vignerte, lui dis-je, qu'y a-t-il? Vous ne me paraissez pas normal. Quelque mauvaise nouvelle? »

Mais déjà il s'était repris, et haussant les épaules :

« Mon pauvre ami! Une mauvaise nouvelle? Et de qui, s'il vous plaît? Je suis seul au monde. Vous le savez bien.

— C'est égal, insistai-je. Vous êtes nerveux ce soir. Je préfère que vous restiez avec moi. Vous pouvez établir où vous voulez votre poste de commandement.

— Il est vrai, interrompit-il, je suis un peu nerveux. Quelle heure est-il?

— Sept heures.

— Eh bien, jouons aux cartes. »

La proposition était si inattendue de sa part que les deux soldats que j'avais pour compagnons levèrent la tête, abasourdis. Jamais, à la compagnie, on n'avait vu le lieutenant Vignerte toucher une carte.

« Holà! dit-il, vous deux, Damestoy, Henriquez, vous avez des cartes, n'est-ce pas? »

Ils firent un signe affirmatif. Comment n'auraient-ils pas eu de cartes?

« A quoi savez-vous jouer?

— A la bourre, *mon lieutenant.*

— Eh bien... jouons à la bourre. *»*

Ce fut une étrange partie. Au bout d'une heure, Vignerte avait copieusement bourré. *Les deux pauvres soldats se regardaient ahuris, se demandant ce qu'il y avait de plus extraordinaire dans leur aventure, de l'honneur que leur avait fait le lieutenant Vignerte, ou de la somme — une dizaine de francs — qu'ils lui avaient gagnée.*

Je le regardai avec de plus en plus d'inquiétude.

Nerveusement il jeta les cartes.

« Ce jeu est stupide; il est huit heures, je vais surveiller la première relève.

— Je vous accompagne. »

Je n'oublierai jamais cette nuit. Le ciel peu à peu s'était dépouillé de sa toison de nuées. La lune, presque en son plein, brillait dans l'azur bleu et froid. Sous elle, les groupes sombres des boqueteaux, le sable et les tranchées faisaient de longues traînées blanches.

L'ascension des fusées lumineuses, devenues inutiles, s'était arrêtée.

Un grand silence régnait. Par moments, une balle perdue, avec un bourdonnement aigu, passait près de nous. Et l'on entendait, après, la détonation du fusil, là-bas, dans la vallée.

A voix basse, nous échangions le mot avec nos sentinelles, les unes aplaties dans un trou d'obus, les autres accroupies derrière un buisson. La compagnie était déployée sur un front immense : cinq cents mètres au moins. L'inspection nous en prit une bonne heure.

Quand nous fûmes au bout, Vignerte me demanda :

« Où est le dernier poste de la 23e? »

Nous y allâmes. Les quatre soldats étaient en train d'enterrer aussi profondément que possible le corps de l'Allemand tué tout à l'heure.

D'un geste, Vignerte les écarta et, se penchant sur la fosse, il fouilla le sable qu'ils étaient en train de rejeter. Le cadavre apparut.

« 182e. C'est bien cela », murmura-t-il.

Puis il me dit avec un frisson :

« Rentrons, je commence à avoir froid. »

*

Damestoy et Henriquez dormaient dans la cahute où étaient venus les retrouver les trois hommes de liaison. Avec la grande déférence des soldats, ils nous avaient arrangé la meilleure place. Deux trous dans une paille abondante, sous un amas de couvertures brunes.

La respiration enfantine de ces braves gens rompait

seule le silence et, par moments, le petit piaulement d'un de ces minuscules mulots attirés par la paille toute pourvue encore d'épis. Je ne voyais pas Vignerte, étendu à mon côté, mais je le sentais qui ne dormait pas. La porte de la cahute s'ouvrait en un trou bleu sur le firmament, au fond duquel pendait, comme une larme, une étoile d'argent.

Une heure passa ainsi, peut-être. Vignerte n'avait pas bougé. Il avait dû s'endormir, ce mystérieux camarade que la guerre m'avait envoyé. Pourquoi était-il si troublé, ce soir? Quel souvenir était venu usurper une pensée qu'il pliait sauvagement aux mille détails de la guerre, comme pour l'empêcher de vagabonder à travers des mondes interdits?...

Et soudain, j'entendis un grand soupir, tandis qu'une main saisissait la mienne.

« Vignerte, pour Dieu, qu'avez-vous? »

Je n'eus d'autre réponse qu'un serrement plus convulsif de sa main.

« Mon ami, mon cher ami, vous savez si j'ai le droit de vous donner ce titre. Eh bien, ne me laissez pas avec cette inquiétude sur votre compte. Vous souffrez, ce soir. Dites-moi votre souffrance. Si nous étions à Paris, n'importe où, je n'en userais pas avec cette indiscrétion. Mais telle confidence qui nous ridiculiserait ailleurs ici devient sacrée. Nous allons peut-être nous battre demain, Vignerte! Demain, peut-être, quatre soldats nous creuseront la fosse de sable où dort maintenant l'Allemand de tout à l'heure. Ne me parlerez-vous pas, Vignerte, ne me direz-vous pas...? »

Je sentis sa main mollir dans la mienne.

« Ce serait long, mon pauvre ami. Et comprendrez-vous? Je veux dire : ne me prendrez-vous pas pour une sorte de fou?

— Je vous écoute, dis-je impérieusement.

— Allons, soit. Aussi bien ces souvenirs m'étouffent, et vraiment il en est qu'il serait égoïste d'emporter avec moi. Tant pis pour vous, vous ne dormirez pas cette nuit... »

Et voici donc la bizarre histoire que me raconta, ce soir du 30 octobre 1914, le lieutenant Vignerte, à l'endroit que ceux qui l'ont occupé ont appelé le Carrefour de la Mort.

I

Vous êtes universitaire, commença-t-il. Vous ne m'en voudrez pas si le début de ce récit n'est pas exempt de quelque amertume envers l'Université dont je n'ai pu faire partie. Amertume injustifiée sans doute, puisque je lui suis redevable, pour ne m'avoir pas accepté dans son sein, de souvenirs que, somme toute, je n'échangerais pas contre une chaire en Sorbonne.

J'ai fait les études de ceux qui ont un peu d'intelligence et pas du tout de fortune. J'ai été boursier. C'est-à-dire que je me suis engagé chaque année à passer d'une certaine façon des examens, à acquérir un état d'esprit particulier, avec, comme couronnement, l'agrégation et un poste dans un lycée de province.

J'ai d'abord répondu aux espérances que fondait sur moi le conseil général de mon département. Ma bourse au lycée de Mont-de-Marsan est devenue une bourse de rhétorique supérieure au lycée Henri-IV. C'est là, en 1912, que je me présentai à l'Ecole normale supérieure. Trente-cinq élèves furent reçus. Je fus classé trente-septième. A titre de fiche de consolation, j'obtenais une bourse, de licence cette fois, près de la Faculté des lettres de l'université de Bordeaux.

Je fis alors un coup de tête qui fut jugé sévèrement

par les quelques personnes qui s'étaient intéressées à moi. Pendant mon année d'internat, à peu près comme le détenu qui aperçoit la campagne à travers le croisillon de sa cellule, j'avais entrevu Paris. En juin, un jour de Grand Prix, je me rappelle, pauvre lycéen, avoir assisté, aux Champs-Elysées, au retour du cortège des millionnaires. Chacune des carrosseries de ces automobiles qui, en fleuve brillant, déferlaient dans l'avenue, coûtait dix fois plus que toute ma pauvre personne n'avait coûté depuis sa venue au monde. Il y avait là-dessus une admirable lumière jaune et mauve. J'étais ébloui. Je n'avais contre ce luxe aucune des pensées qui, des impuissants, font des révoltés. Ah! seulement, en avoir ma part un jour! « Balzac est un admirable réaliste », ânonnait mon professeur de rhétorique supérieure. Elles sont donc réelles, de l'aveu même de ce brave homme borné, ces aventures des jeunes héros de province qui, plutôt que d'accepter la médiocrité dans un coin de leur pays natal, sont venus à la Grande Ville, l'ont domptée, en ont fait la respectueuse servante de leurs passions...

Et maintenant, on voulait me renvoyer là-bas. On m'avait passé sur l'aire, on me trouvait trop léger. Eh bien, on verrait.

Ce fut ainsi que j'envoyai ma démission de boursier et que je résolus de m'inscrire à la Sorbonne pour y faire ma licence ès lettres.

Une voix me disait : « N'entre pas dans l'Université. Mais n'en néglige pas les titres. Ils n'ont de valeur que lorsqu'on n'y est pas entré. En dehors d'elle, ils constituent d'excellents attrape-nigauds. »

Au bout d'un an, j'avais passé ma licence, vivant de leçons données de-ci, de-là, puisant dans ces besognes un désir plus puissant d'être libre; et puis, finalement vaincu, je me résignai au sort dont j'avais fait fi.

Je posai ma candidature à une bourse de diplôme d'études supérieures d'histoire, demandant Bordeaux, et je dis adieu à Paris.

Le comité consultatif de l'enseignement public, qui a pour mission de se prononcer sur ces sortes d'affaires, se réunit d'ordinaire dans les premiers jours d'octobre. Les deux mois que j'avais à attendre, je les passai dans les Landes, dans un village maritime, chez un vieux curé (excusez le cliché, mais c'est la vérité) qui, en souvenir de mes parents qu'il avait connus, m'offrait sa pauvre maison.

C'est là, mon ami, que j'ai connu les jours les plus calmes de mon existence. Libre, vaquant à ma volonté à travers la grande nature sylvestre, n'ayant d'autre contrainte que les heures des repas, ne lisant, pour la première fois, que des choses qui ne figuraient pas au programme de l'examen ou du concours de fin d'année, attentif seulement au miracle de la belle saison finissante.

Le presbytère était au bout de l'étang qui communique avec la mer par un mince canal engorgé d'herbes aquatiques. Le matin, dans ma chambre ouverte, j'étais éveillé par la rumeur de la marée montante. De ma fenêtre, je voyais, sous un ciel gris et rose, le gonflement progressif de la grande eau verte. Des volées de macreuses et de courlis tournaient au-dessus avec des cris plaintifs. Ah! rester là. Voir s'y dérouler la calme ronde des saisons. N'avoir pas, quelque part, un état civil, un dossier, un lien avec la vie. Courir tous les jours le long des dunes rectilignes, où les grandes lames se succèdent dans le vent, où, sur le cordon argenté du sable, les méduses échouées ont l'air d'immenses pendentifs d'améthyste!...

Un matin d'octobre, je reçus deux lettres : l'une venait de l'Académie de Bordeaux, et m'apprenait que le comité consultatif « n'avait pas cru devoir réserver à ma demande de bourse un accueil favorable ».

L'autre était signée de M. Thierry, professeur de langue et littérature germaniques à la Sorbonne. Pendant un an, j'avais eu pour maître cet excellent homme, ce consciencieux érudit; c'est lui qui avait corrigé le mémoire que j'avais présenté en juillet pour la licence, sur *Clausewitz et la France,* s'il vous plaît. Jamais je n'avais eu qu'à me louer de lui. Je sentais qu'il me portait une amitié qu'il se reprochait peut-être un peu.

Il faisait partie du comité. Sa lettre essayait de justifier la décision. Personnellement, il avait fait ce qu'il avait pu. Mais certains membres avaient émis des doutes sur ma vocation universitaire, et lui-même, sur ce point, avouait qu'il avait manqué de conviction pour défendre ma cause. Au reste, il valait mieux qu'il en eût été ainsi. Il ne me voyait pas bien étudiant en province. « Revenez immédiatement, concluait-il, il y a peut-être un moyen d'arranger tout cela et qui vous permettra de rester à Paris. »

Je quittai mon brave homme de curé en lui promettant de revenir aux vacances de janvier, et le surlendemain je débarquai à la gare d'Orsay.

C'était déjà l'hiver. Le Luxembourg dépouillé laissait dénombrer ses statues grises. Dans le petit appartement de la rue Royer-Collard où habitait M. Thierry, le feu était allumé.

« Mon cher enfant, me dit-il — et, seul comme je l'étais, je lui sus un gré infini de ce préambule —, il ne faut pas en vouloir au comité. Mes collègues ont le devoir de veiller strictement aux intérêts de l'Université, et vous-même avouerez que vous avez souvent, dans vos études, fait preuve d'une — comment dirai-je?... — fantaisie, oui, fantaisie propre à alarmer des esprits aussi... sérieux. Moi, je vous connais, c'est autre chose. Je sais que de cette fantaisie bien dirigée, il ne restera qu'une heureuse originalité. Mais, d'abord une question. Avez-vous réellement la vocation d'une carrière universitaire? »

Que voulez-vous qu'on réponde, quand on a exactement en poche cent sept francs et des centimes? J'affirmai énergiquement ma vocation.

« Eh bien, reprit-il, j'ai votre affaire. La bourse vous aurait donné 1 200 francs tout au plus. Je vous ai recommandé à un vieil ami qui dirige aux Ternes une institution libre. Il lui faut un professeur d'histoire : six heures par semaine, cent soixante-quinze francs par mois et la possibilité d'avoir des répétitions. Par exemple, il vous faudra travailler ferme pour poursuivre parallèlement vos études en Sorbonne. Mais je vous connais, je réponds de vous. C'est aujourd'hui mardi. Si cela vous agrée, vous commencerez vendredi prochain. »

Je sentais, âpre et froide, la gaine universitaire m'enserrer jusqu'au cou. Ah! les Champs-Elysées! les femmes en fourrures, avec, derrière elles, un sillage adorable de parfum! Mais comment « cela » eût-il pu ne pas « m'agréer »? Cent sept francs et des centimes. .

Je me confondis en remerciements.

Il se frotta les mains.

« Je vois M. Berthomieu ce soir. Repassez demain à dix heures, je vous fixerai rendez-vous. »

*

Mardi, 21 octobre 1913. — La nuit tombait. Rue Auguste-Comte, je me heurtai aux groupes d'enfants qui sortaient du lycée Montaigne. Ah! petits élèves, petits boursiers, étudiez les mathématiques, entrez aux Arts et Métiers, mettez-vous derrière un comptoir, si vous ne voulez pas un jour être cette ombre falote qui tourne le Luxembourg et s'engage dans la rue d'Assas.

Toujours cette fantaisie, que me reprochait mon bon maître. Allons, pauvre fille, accordons-lui sa dernière joie. Menons-la dîner rive droite.

A cet instant de son récit, Vignerte s'interrompit. Puis :

« Tout à l'heure, continua-t-il, une balle a sifflé, là; c'était juste au-dessus de nos têtes. Avez-vous pensé, cher ami, que si, à ce moment, il vous était venu l'idée de mettre le nez dehors, elle vous aurait étendu raide? Que dites-vous du rôle du hasard dans la vie?

— L'autre jour, répondis-je, la onzième escouade était en effervescence. Personne ne voulait aller à la corvée d'eau. Chacun prétendait que ce n'était pas son tour. Comme le bruit gagnait, je suis intervenu. J'ai envoyé le premier qui m'est tombé sous la main, celui qui criait le plus fort. Il est parti en maugréant, protestant que c'était une injustice. Il laissait sa capote à sa place. Quand il est revenu, il ne l'a plus retrouvée. Un obus l'avait pulvérisée en même temps que ses douze camarades.

— Nous sommes d'accord », dit Vignerte.

Et il poursuivit :

Moi qui jamais, le soir, ne passais les ponts, me contentant des tristes joies du Quartier latin, quelle force me poussa ce soir? Je me rappelle avoir fait une orgie solitaire au Grand U; puis l'envie me vint d'aller prendre mon café à la terrasse de Weber. Prétendant ne me rien refuser, je passai devant les lampions de l'Olympia avec la ferme intention de m'y octroyer ensuite un promenoir. Un peu excité par ma bouteille de

Barsac, je marchais très droit, en regardant avec aplomb les passantes.

Il faisait froid. Je rentrai chez Weber, et tout de suite, les lumières et la foule me rendirent ma timidité. Je m'assis humblement dans un coin, avec la maladresse de ceux qui craignent qu'on voie qu'ils n'ont pas l'habitude.

En face de moi, un groupe de jeunes gens menait grand bruit. Je regardai avec envie leur aplomb, leur mise, tout ce bonheur auquel je n'atteindrais peut-être jamais. Ah! vraiment, comme il était peu fait pour l'Université, ce jeune homme que laissaient sceptique les étalages d'érudition, les bibliographies, les références, et à qui la vue d'un veston bien coupé, d'une cravate savamment nouée, de fines chaussettes devinées sous le rempli du pantalon donnait presque des battements de cœur!

Ils étaient quatre, dont une femme, rose et jolie sous les fourrures réapparues. Un peu fardée peut-être, mais cela ne m'a jamais déplu. Assise sur la banquette, avec un des beaux jeunes gens, elle me faisait vis-à-vis. Les deux autres me tournaient le dos, mais, dans les glaces, je voyais leurs faces légèrement échauffées par un bon dîner finissant.

Etre celui qui vient prendre son café dans un grand restaurant, je compris ce soir cette humiliation : « Ah! me disais-je, il valait mieux rester chez toi, dîner de n'importe quoi et te coucher; dormir, dormir. Le sommeil est le refuge du pauvre. Il ne fallait pas venir ici. »

Et pourtant...

Je commençais à peine à remarquer qu'un des convives qui me tournaient le dos me regardait dans la glace avec insistance, lorsque, s'étant levé, il vint vers moi :

« Vignerte!

— Ribeyre! »

J'avais connu ce Ribeyre en rhétorique supérieure. Déjà licencié, il préparait aussi Normale, mais avec toute la désinvolture que peuvent donner un peu de fortune et d'autres ambitions.

« Que fais-tu là?

— Tu vois », dis-je, déjà gêné.

J'ajoutai vite :

« Et toi? quoi de nouveau depuis Henri-IV?

— Ah! mon cher, ne me parle pas de cette sale boîte. Et on dit qu'on y instruit la jeunesse! Ils m'auraient fait manquer ma vie, si je les avais écoutés... »

Il ajouta, lui aussi :

« Et toi?

— J'ai été forcé de les écouter. Et je le suis encore, répondis-je avec amertume. Mais que fais-tu, maintenant? Tu n'as pas l'air de t'ennuyer.

— Mon vieux, toutes les chances. Secrétaire d'un député qui, six mois après, devient ministre des Affaires étrangères. Je l'ai suivi au quai d'Orsay. Et voilà. Mais quitte ton coin. Je vais te présenter à des amis des ministères. »

Ribeyre me présenta en effet : « Mon ami Vignerte. Un travailleur, celui-là. Diplômé, un tas de choses. Agrégé peut-être? Non, tant mieux pour toi. Mais qui en sait sûrement plus que nous trois réunis, sans compter Clotilde. »

Clotilde salua d'un air pincé et me jeta un regard ironique.

J'étais au supplice. Ah! ce panégyrique allait bien avec mes pauvres pantalons bosselés aux genoux.

Tous d'ailleurs furent charmants! La louange de mon savoir n'était-elle pas plutôt un éloge de leur savoir-faire, à eux, de leur art à mater la vie?

Bientôt Ribeyre se leva.

« A demain, les amis! Mes respects, Clotilde. Tu viens avec moi, Vignerte, tu me pousseras un bout de chemin. »

Dehors, il me prit le bras.

« Je rentre au quai d'Orsay. Quelques lettres du vieux à expédier. Accompagne-moi. »

La rue Royale étincelait. Des femmes emmitouflées dans de longues capes de soie descendaient des automobiles arrêtées devant un restaurant. Ce luxe m'enivrait, me fouettait, me poussait à essayer de tirer parti de la rencontre de Ribeyre. Je sentais celui-ci disposé à m'étonner de sa nouvelle fortune. Qui sait? peut-être arriverais-je à profiter de son désir de me manifester sa puissance. Que ne peut-on obtenir de la vanité des gens!

Quelle sotte vanité me prit moi-même lorsque je montai avec lui le perron de droite du Palais des Affaires étrangères? Un grand laquais nous ouvrit l'ascenseur. Un autre nous reçut au premier étage.

« Pas de coup de téléphone, Fabien?

— Si, monsieur, un du ministre du Commerce. Il doit dîner demain avec le ministre. C'est pour lui dire qu'ils se retrouveront à la Chambre. J'ai pris la communication par écrit. »

Une minute après, nous étions dans un adorable petit cabinet gris et or.

Ribeyre frappa sur la table.

« Le bureau de Vergennes, dit-il négligemment.

« Tu permets? » continua-t-il en s'asseyant.

Et il se mit à décacheter des lettres, sur lesquelles, au fur et à mesure, il traçait des signes au crayon rouge.

« Ne te gêne pas pour me parler. Ce n'est pas une besogne bien absorbante. Voyons, dis-moi ce que tu fais? Où en es-tu avec l'Université? »

Je le lui dis, je lui dis tout, depuis mon départ d'Henri-IV jusqu'à ma prochaine entrée chez M. Berthomieu.

Il leva la tête :

« Et tu as accepté ça?

— Le moyen de faire autrement? répondis-je avec âpreté. Il ne faut pas mourir de faim. »

La faim. Ce mot résonna étrangement au milieu de ces Gobelins, de ces meubles Boule, de ces Sèvres.

Ribeyre se leva. J'eus l'intuition que j'étais sauvé.

« Mon cher, il ne faut pas entrer chez Berthomieu. On se coule avec ces histoires. Je te connais. Je te jure que tu n'es pas fait pour l'Université. Ce qu'il te faut, c'est cela. »

Il désigna d'un geste circulaire ce luxe de puissance qui nous environnait. Quel psychologue, ce Ribeyre!

« Ecoute, me dit-il en venant s'asseoir sur le bras de mon fauteuil. Consentirais-tu momentanément à t'expatrier? Je dis momentanément, car c'est à Paris que se joue la partie et qu'elle se gagne. Mais quoi, tu n'as pas un sou. Ici, l'avenir pourrait être à un garçon comme toi qui a devant lui de quoi vivre un an sans s'occuper de la matérielle.

— Eh bien? » dis-je, haletant.

Il continua, savourant le plaisir de me paraître si grand.

« Voilà. C'est un service que tu me rendras aussi bien que je t'en rendrai un. J'ai déjeuné ce matin à l'ambassade d'Allemagne avec Marçais. Tu ne connais pas Marçais? C'est notre ministre à Lautenbourg. Connais-tu Lautenbourg, l'agrégé de géographie?

— C'est un des Etats allemands.

— Grand-duché de Lautenbourg-Detmold. Prince souverain, Son Altesse Frédéric-Auguste, dit-il doctoralement. Cette altesse-là est affligée d'un héritier d'une quinzaine d'années, pour lequel elle recherche un précepteur. Or, tu sais que le français fait prime dans toutes les cours du monde. Tu es licencié?

— Oui.

— Parfait! sais-tu l'allemand?

— A peu près, pour la Sorbonne.

— Bah! ils parlent tous français, là-bas. Eh bien, le grand-duc a chargé Marçais partant pour Paris de lui dénicher ce précepteur. Marçais est un homme charmant, et d'un distingué!... Charvet lui confectionne des cravates exclusives. Après, il brise la planche aux assignats. Mais ce n'est pas un reproche : comme débrouillard, il y a mieux. Hier, au hasard, il m'a confié son embarras. Demain, il doit aller au ministère de l'Instruction publique. Tu comprends que là, il en trouvera à revendre, des précepteurs, surtout avec les appointements qu'offre le grand-duc, 10 000 marks par an.

— 10 000 marks? répétai-je ébloui.

— Il faut régler la question tout de suite. Tiens, j'écris un pneumatique à Marçais. »

Il m'en donna lecture. Je n'avais qu'à rougir devant les compliments qui m'étaient décernés.

« Marçais l'aura demain matin. C'est un garçon rangé, il se lève à neuf heures, ce sera pour te convoquer. Ah! ton adresse?

— 7, rue Cujas.

— Eh bien, n'oublie pas d'y repasser, à ta rue Cujas, pour ne pas manquer son rendez-vous.

— Donne-moi le pneumatique, dis-je. Je veux le mettre moi-même. »

Ma fièvre, visiblement, le flattait. Il sourit vaniteusement.

« Ah! mon gaillard! Au lieu des soupes du père Berthomieu, tu vas goûter la vie de château, de palais.

Lautenbourg est une exquise résidence, paraît-il. De Marçais refuse depuis deux ans de l'avancement pour y rester. Le grand-duc est aimable. La grande-duchesse court le renard mieux qu'un homme. Marçais m'a dit avoir crevé son meilleur cheval à la suivre. Sache te faire ta place là-bas, voilà tout. »

Ce disant, je vis qu'il jetait un coup d'œil sur ma pauvre mise.

« Ne crains rien », dis-je avec une autorité qui l'étonna.

Il me regarda, sourit encore : « Eh! eh! je crois que je viens de révéler quelqu'un à lui-même. Lutte là-bas, mon enfant. Reviens-nous avec quelques billets de mille. Le patron est solide ici, et s'il coule, je quitterai le vaisseau avant. On se retrouvera. Vois-tu, pour que les gens vous rendent utilement service, il faut n'avoir plus besoin d'eux. Les cabinets de ministres, il n'y a rien de mieux. Mais il faut avoir de quoi attendre, pouvoir tenir le coup. Sinon, on est forcé de se faire bazarder conseiller de préfecture, à 2 000 francs. Six mille marks de côté, cela ne te sera pas difficile. Défrayé de tout là-bas, emploie le reste à te nipper. C'est de l'argent toujours placé à cent pour cent. En cela, tu peux copier Marçais. S'il n'était pas si bien mis, il y a longtemps qu'il aurait débarqué. »

Telles furent les paroles d'Etienne Ribeyre. Entre autres précieux conseils, il venait de me donner la démonstration que, dans la vie, il peut arriver qu'un indifférent fasse pour vous davantage qu'un ami.

Oh! l'admirable lune d'octobre sur Paris! La Seine coulait dans une douce brume mauve. Au coin de la Chambre des Députés, je déposai mon pneumatique à la poste de la rue de Bourgogne. Puis, j'eus besoin de marcher, d'être seul avec moi-même. Dix mille marks, 12 500 francs. L'argent ne fait pas le bonheur!

Qui le fait donc, je vous le demande? Qui me donnerait cette démarche assurée, cette confiance, cette joie?

La rue de Varenne, la rue Barbet-de-Jouy, le boulevard Montparnasse purent successivement admirer ma superbe. Je ne voyais pas les passants, j'étais splendide. Je ne sais comment mes yeux s'arrêtèrent, près de l'Observatoire, sur une ombre mouvante et craintive, sous un réverbère. C'était une mince fille, avec d'énormes cheveux blond rouge. Ma joie était trop lourde ce soir pour pouvoir la porter seul. Mais, pas un instant, je ne pensai, près d'elle, que son corps lui appartînt en propre. Il était, ce mince corps, celui des femmes des Champs-Elysées, des élégantes de Maxim's, et de celles, combien plus belles, qui sans doute devaient m'attendre dans une certaine cour allemande, au bord d'un fleuve wagnérien, en murmurant, pour tromper leur impatience, les plus molles strophes de l'*Intermezzo.*

*

Dix heures du matin. Et le rendez-vous de M. Thierry que j'allais oublier.

Il lisait au coin de son feu. Quand j'entrai, il vint vers moi avec un sourire ravi.

« Tout est entendu, mon cher ami, avec M. Berthomieu. Vous entrez chez lui.

— Mon cher maître, répondis-je, je crois bien que je vais vous avoir dérangé pour rien. »

Et je lui fis le récit de la veille, sans pouvoir, malgré mon désir de lui paraître calme, arriver à cacher ma joie.

J'eus du dépit à ne pas le voir la partager immédiatement. Il me regardait étonné, avec même, me parut-il, une pointe de désapprobation.

« Les universitaires sont tous les mêmes, pensai-je. Hors de l'Université, point de salut. » Et je sortis de la mesure où je m'étais tenu si difficilement pour manifester très haut mon orgueil de ma nouvelle situation. « Enfin, conclus-je, je me demande combien il me faudrait passer d'examens, de concours et attendre d'années pour arriver à la situation qui m'est offerte du premier coup : 10 000 marks par an.

— Evidemment », murmura-t-il, rêveur.

Il regarda un moment les charbons de son feu, puis se leva pour aller à la bibliothèque, d'où il revint avec un gros volume relié en une de ces toiles de couleur crue, plates, dorées, qui caractérisent beaucoup d'ouvrages anglais ou allemands.

« C'est bien au nom du grand-duc de Lautenbourg-Detmold que vous est faite la proposition dont il s'agit? me demanda-t-il.

— Oui, dis-je, au nom du grand-duc Frédéric-Auguste.

— C'est bien cela. Pour être précepteur de son fils unique, le duc Joachim. »

Ce fut ainsi que j'appris le nom de mon futur élève.

Mon vieux maître réfléchit quelques secondes encore, et, levant vers moi ses lorgnons pâles :

« Et... puis-je vous demander si vous êtes déjà lié par un engagement formel?

— A vrai dire, pas encore. Mais ma résolution est formelle, et ce n'est que si on m'en préfère un autre que je ne partirai pas.

— Dans ce cas, n'en parlons plus », dit M. Thierry en remettant son volume en place.

J'étais intrigué, et quelque peu irrité.

« Mon cher maître, lui dis-je, voulez-vous me parler avec franchise? Je vous sais trop soucieux de mon intérêt pour me déconseiller d'accepter des offres aussi brillantes, si vous n'avez pour cela les motifs les plus sérieux. En outre, je dois vous dire qu'en venant ce matin chez vous, je comptais obtenir de votre connaissance unique des hommes et des choses de l'Allemagne contemporaine des détails précieux sur la cour de Lautenbourg-Detmold. Ces détails, mon cher maître, je vois que vous les possédez sans doute encore mieux que je ne pouvais me le figurer. Je dois voir tout à l'heure M. de Marçais, notre ministre à Lautenbourg. Mais il me sera assez difficile de le questionner. Et un diplomate est sans doute tenu à certaines réserves que vous n'avez pas les mêmes raisons d'observer vis-à-vis de moi. En un mot, laissez-moi vous poser une question qui résumera tout ce débat : si vous aviez un fils, monsieur Thierry, le laisseriez-vous faire ce que je vais faire? Le laisseriez-vous partir pour Lautenbourg? »

Il me regarda fixement et me répondit d'une voix ferme :

« Jamais. »

J'avoue que mon étonnement commençait à faire place à un peu d'inquiétude. Je discernais très bien que ce n'était pas un enfantin dépit de ne pas me voir plier à la situation qu'il m'avait trouvée qui guidait un homme aussi pondéré.

« Vous devez avoir des motifs bien sérieux, maître lui dis-je d'une voix un peu tremblante, pour me faire une réponse aussi catégorique.

— Je les ai, en effet, me répondit-il.

— Pourriez-vous me dire le sujet de l'investigation à laquelle vous venez de vous livrer dans ce livre?

— Mon cher enfant, vous pensez qu'il ne peut y avoir dans cet annuaire des maisons régnantes aucun détail de nature à justifier les craintes que peut me donner votre sort là-bas; j'ai vérifié un nom, certains souvenirs, voilà tout, il est vrai que je possède sur la maison de Lautenbourg-Detmold quelques renseignements particuliers, qu'il serait permis à M. de Marçais lui-même d'ignorer, si ce diplomate était doué de plus de perspicacité qu'il est réputé en avoir. D'ailleurs, il n'y a pas bien longtemps qu'il est à Lautenbourg. Il n'a pas connu feu le grand-duc Rodolphe.

— Qui est ce grand-duc Rodolphe?

— Vous ignorez même ce détail! C'était le frère aîné du grand-duc actuel. Mort il y a quelques années. Deux ans, si je ne me trompe.

— C'est sa mort qui a fait hériter le grand-duc Frédéric-Auguste?

— Pas directement. La constitution de l'Etat de Lautenbourg-Detmold est particulière. La loi salique n'y est pas appliquée. La couronne ducale, à la mort du grand-duc, revenait à sa femme, la grande-duchesse Aurore-Anna-Eléonore.

— Alors, elle a épousé son beau-frère?

— Exactement. Et c'est ainsi, comme il n'y a pas d'enfants du grand-duc Rodolphe, que votre futur élève, le duc Joachim, fils du grand-duc Frédéric-Auguste et d'une comtesse allemande quelconque, est devenu l'héritier présomptif de l'Etat de Lautenbourg-Detmold. Il faudrait, pour qu'il cessât de l'être, que le mariage de son père avec la grande-duchesse Aurore fût honoré d'un gage, chose qui paraît assez improbable.

— Il me semble me rappeler, dis-je. N'y a-t-il pas eu, il y a deux ou trois ans, un grand-duc allemand qui s'en est allé mourir en Afrique, au Congo, dans un voyage d'études?

— Exactement, répondit M. Thierry. C'était le grand-duc Rodolphe. Il avait toujours chéri les études géographiques. Son voyage n'était d'ailleurs pas parfaitement désintéressé. En pensant que, quelques mois après, c'était Agadir et pour nous la perte du Congo, j'ai bien souvent songé que le grand-duc de Lautenbourg était allé accomplir là-bas une mission pour le compte de son auguste cousin, le Kaiser. Il n'eut d'ailleurs pas le temps de la mener à bien, puisqu'il mourut au Congo, peu de temps après son arrivée. Il serait curieux...

— Je ne vois pas, en tout cas, mon cher maître, dis-je en l'interrompant, quoi que ce soit, dans ces histoires, de nature à justifier les craintes que vous me manifestiez tout à l'heure. »

Il parut gêné.

« Mon cher enfant, me dit-il avec un effort, le devoir d'un historien est évidemment de n'accepter pour certain que ce qu'il a pu dûment contrôler. A ce point de vue, je vous avouerai que je ne sais que des choses assez vagues et difficilement vérifiables. Certains bruits, certaines allusions, quelques détails enfin que m'a donnés il y a quelque temps un ami dont je dois taire le nom, et c'est tout. Mais je crois assez le proverbe selon lequel il n'y a pas de fumée sans feu.

— Ne pourriez-vous un peu plus me préciser l'objet de ces bruits?

— Vous garderez absolument cela pour vous, me dit-il, vous me le promettez?

— Je vous en donne ma parole.

— Eh bien, il paraît qu'on ne meurt pas toujours de mort naturelle à la cour de Lautenbourg-Detmold. »

Ma curiosité était à son comble.

« Qu'est-ce à dire? demandai-je.

— Hélas! ou plutôt heureusement, rien de précis. Mais enfin on est bien forcé de constater que deux personnes séparaient de la couronne le duc Frédéric-Auguste.

— Puisque le grand-duc Rodolphe est mort d'insolation au Congo, dis-je : tous les journaux l'ont raconté.

— Evidemment. Cette mort-là fut naturelle. On ne peut pas, paraît-il, en dire autant de celle de la comtesse de Tepwitz, la première femme du grand-duc actuel, la mère du duc héritier Joachim.

— Est-ce donc au grand-duc qu'on impute cette mort?

— C'est un homme bien curieux, reprit M. Thierry, que le grand-duc Frédéric-Auguste. Intelligent, fort instruit, mais d'une dissimulation redoutable. Joue-t-il pour lui? Pour le compte du roi de Wurtemberg, son suzerain direct? De l'empereur? J'ai étudié la question du point de vue politique allemand. Elle n'est pas simple. Frédéric-Auguste est ambitieux. Et je crois qu'il ne recule devant aucun moyen.

— Il a dû tenir compte, dans ses calculs, de la grande-duchesse héritière, dis-je. Il lui a fallu pourtant son consentement pour l'épouser. »

M. Thierry eut un sourire.

« Ils pouvaient être d'accord. J'avoue ne pas connaître ce côté de la question. Je ne sais rien de la grande-duchesse, si ce n'est son âge, dit-il en reprenant son livre bleu et or, ses prénoms : Aurore-Anna-Eléonore; son origine russe et qu'elle est née princesse Tumène. Les Tumène sont les seigneurs les plus puissants du gouvernement d'Astrakan. A-t-elle joué d'accord avec de grand-duc actuel, c'est possible. Vous savez cependant que la raison d'Etat entraîne parfois bien des mariages. Mais, encore une fois, je ne sais rien d'elle.

— Tout cela ne me paraît pas bien clair, dis-je, un

peu déçu. Mais, de toute façon, je ne vois pas en quoi un modeste précepteur pourrait avoir à souffrir des démêlés de ces hauts personnages.

— Ce que vous dites a une apparence de raison. Sait-on cependant jamais ce qu'il peut advenir au milieu de ces louches affaires? On se trouve parfois mêlé, sans le savoir, à bien des intrigues; et savez-vous même ce qu'on attend de vous là-bas? Tenez, je vous dirai le fond de ma pensée. C'est 10 000 marks d'appointements qui vous sont offerts, n'est-ce pas? Eh [illegible]ien, je ne puis m'empêcher de trouver ce chiffre [illegible]éré. Votre ami Bouvelet, normalien et agrégé, n'en [illegible]e 8 000 chez le roi de Saxe. »

[illegible]vis très nettement que le vieux professeur avait [illegible]ains motifs très précis de me parler de la sorte, mais que la peur de se compromettre l'empêchait d'en dire davantage. D'ailleurs, je crois que la chose eût été inutile. Ma curiosité était piquée à vif. Un besoin d'aventure s'éveillait en moi. Et ce fut avec la voix la plus résolue que je lui dis :

« Je vous remercie, mon cher maître, de m'avoir mis en garde, mais mon parti est pris. Avec le soin constant de me tenir à l'écart, de ne jamais sortir de mes attributions, je crois que j'éviterai n'importe quel danger. Et avouez que rien n'est moins certain que j'en coure. Vous me permettez d'ailleurs une prière.

— Dites!

— Si jamais quelque chose me semble suspect, je vous en écrirai, je solliciterai vos conseils, et il sera alors temps...

— Gardez-vous-en bien, mon pauvre ami! s'écria-t-il. Mettez-vous dans la tête que là-bas vous serez immanquablement entouré d'espions. N'écrivez jamais une lettre qui ne puisse être lue par le grand-duc, car vous pouvez être assuré que, si l'envie lui en prend, il ne vous en demandera pas la permission. Une fois à Lautenbourg, vous serez absolument isolé de tout. Je connais le palais ducal. Son luxe ne l'empêche pas de ressembler plutôt à une forteresse qu'à un château.

— J'aurais toujours M. de Marçais. »

M. Thierry sourit, d'un sourire qui me rappela le mot de Ribeyre : comme débrouillard, il y a mieux.

« Enfin, dit-il, je vous vois absolument décidé. Après tout, mes craintes sont peut-être exagérées. Et puis, vous êtes jeune, seul. Vous avez de l'à-propos, de la volonté. Je ne sais moi-même si j'ai raison de blâmer votre besoin d'aventure. Sur ce point, je suis un peu prisonnier de mes goûts de vieil universitaire : une vie calme, une bibliothèque. Par exemple, acheva-t-il, vous aurez à Lautenbourg une des plus belles bibliothèques du monde à votre disposition. La collection du grand-duc est célèbre. Il y a les manuscrits d'Erasme et la plupart de ceux de Luther. Allez donc, mon cher enfant.

« Pourtant, dit-il, revenez me voir après avoir vu M. de Marçais. Peut-être pourrai-je vous donner quelques conseils pratiques sur la meilleure façon de comprendre votre rôle de précepteur. »

A mon hôtel Cujas m'attendait un pneumatique, délicatement scellé de cire mauve. M. de Marçais m'informait qu'il serait ravi de me voir chez lui, le jour même, à trois heures.

En me rendant rue Alphonse-de-Neuville, où habitait le ministre de France à Lautenbourg, je ne fis que repasser les détails de mon entretien avec M. Thierry. Il en sait sûrement plus long qu'il n'ose en dire, pensais-je. Est-ce que je fais une folie? Bah! on verra. Il n'y a pas pire folie que laisser passer à vingt-cinq ans 12 000 livres de revenus pour traîner une vie médiocre et sans issue...

Après ce qui m'est arrivé, mon opinion reste la même à cet égard.

*

Le comte Mathieu de Marçais avait à peu près la figure et la prestance sous lesquelles on peut imaginer M. de Marcellus, et, par-dessus tout, cet air réservé, plein de sous-entendus des diplomates. Avec un air pareil, on peut se payer le luxe d'un cerveau parfaitement cave. Personne ne pourra y trouver rien à redire.

Une sympathique quadragénaire était occupée, avec un grand luxe de matériel, à faire les ongles du ministre plénipotentiaire lorsque je fus introduit auprès de lui.

« Monsieur, me dit-il avec des façons vraiment exquises, je ne saurais trop m'excuser du sans-gêne avec lequel je vous reçois. Mais le temps, cher monsieur, le temps à Paris, vous savez quelle denrée précieuse il est pour tous. Pensez combien je dois le ménager, moi qui ne suis dans cette chère ville que quinze jours par an. »

Il me débita ainsi une demi-douzaine de lieux communs, se regardant dans la glace, m'observant à la dérobée. Je crus deviner que ce premier examen, si important pour un homme de son intelligence, ne m'était pas défavorable. Mais je devinai aussi que je ne réformerais pas précisément l'opinion sévère qu'il pouvait avoir de la façon qu'ont les universitaires de s'habiller.

Comme une de ses mains, terminée, baignait mollement dans une eau tiède et rose, il se décida à en venir au fait.

« Je ne me serais pas permis, cher monsieur, de vous convoquer pour vous faire subir une sorte d'examen probatoire, besogne dont je suis d'ailleurs tout à fait incapable. Je sais que vous possédez toutes les garanties scientifiques nécessaires. Les garanties morales et intellectuelles — avant que j'aie été à même de les constater par moi-même —, la recommandation de notre ami Ribeyre me les avait par avance fournies. »

Je m'inclinai. Il s'inclina. Il paraissait ravi d'avoir si bien parlé.

« Vous serez sans doute aise de savoir en quoi consistera votre tâche à Lautenbourg. Oh! pas grand-chose. Le duc Joachim a un précepteur pour la partie scientifique. Le commandant major de Kessel est chargé de son instruction militaire. Il vous restera l'enseignement du français et de l'histoire, l'histoire universelle, bien entendu. Ah! cependant, il y a une chose que le grand-duc m'a particulièrement recommandée... »

« Nous y voici », me dis-je, en pensant aux soupçons de M. Thierry.

« Lisez-vous bien les vers? »

Je restai un peu dérouté par cette question pourtant si inoffensive et simple.

« Mon Dieu, je ne sais trop, il m'est difficile...

— Cela, c'est essentiel; le grand-duc m'a dit d'y veiller. En voici la cause. La grande-duchesse Aurore est férue de poésie française. Il se peut que de temps en temps on vous prête à elle. C'est une surprise que compte faire Son Altesse à sa femme qui se plaint sans cesse du peu de ressources qu'offre Lautenbourg sous ce rapport. « Mon cher comte, m'a-t-il dit, je « vous sais lettré et de goût sûr, je m'en rapporte à « vous. » Excusez-moi donc, cher monsieur, si sur ce point c'est une véritable épreuve que je vous demande.

« Tenez, ajouta-t-il, en me montrant de sa main

humide une vitrine. Il y a là d'excellents poètes. Choisissez et lisez au hasard. »

Il n'y avait, à vrai dire, que des auteurs bien périmés dans cette vitrine. Je fus obligé de me rabattre sur un volume de Casimir Delavigne. Tant bien que mal, je lus l'admirable poème des *Limbes :*

> Ils volent, mais on n'entend pas
> Battre leurs ailes.

« Parfait, parfait, opina en connaisseur M. de Marçais, n'est-ce pas, madame Mazerat? »

La manucure eut un gloussement pénétré pour prouver l'extase où l'avait laissée cette lecture. J'ai vu dans ma vie des scènes ridicules; plus, jamais.

« Tout va pour le mieux, donc, dit le comte en se levant. Je n'ai pas besoin de vous dire que là-bas vous serez traité avec toute la déférence désirable. Le grand-duc est un homme exquis. La grande-duchesse... — il leva les yeux — une Russe, monsieur, c'est tout dire pour la beauté. Le prince Joachim est très docile, un peu lent d'esprit peut-être. Mais on ne peut exiger des Allemands la vivacité française. Enfin la cour est peuplée d'hommes charmants et de femmes ravissantes. Montez-vous à cheval? »

Je fis signe que non.

« Vous apprendrez. Vous monterez avec Kessel. Un cavalier hors ligne... Et vous viendrez déjeuner à la légation. J'ai là-bas une petite folie dessinée par Poiret dont vous me direz des nouvelles. Vous la verrez à mon retour; dans dix jours; car vous partirez avant moi. On vous attend le plus tôt possible. En partant après-demain soir à dix heures, vous serez à Lautenbourg dimanche matin vers neuf heures.

— C'est entendu, dis-je.

— C'est entendu. Rappelez-moi respectueusement au souvenir du grand-duc, et veuillez mettre mes hommages aux pieds de Son Altesse la grande-duchesse. Ah! mon Dieu, quel étourdi je fais! »

Il se leva, prit dans son portefeuille une enveloppe cachetée.

« Le grand intendant, M. de Soldau, m'a chargé de vous remettre ceci, dit-il discrètement. Frais de voyage. Bonne chance, et à bientôt. Excusez-moi, madame Mazerat. Me voici tout à vous. »

*

Je n'avais jamais fait à Paris la dépense d'une voiture que lorsque, partant en vacances ou en revenant, j'y étais contraint par ma malle. Dès que je fus sorti, cependant, j'en pris une pour rentrer chez moi, tellement était grande ma hâte de voir ce que contenait cette enveloppe que je n'osais ouvrir dans la rue.

Vraiment, je commençais à sentir les bénéfices que procure la société des grands de la terre. « Prière à Monsieur le Précepteur, disait un papier à en-tête de la chancellerie ducale, de vouloir bien trouver ici le premier trimestre de ses honoraires, plus mille marks à titre d'indemnité pour frais de voyage. » A cette gracieuse invitation étaient joints trois mille cinq cents marks.

Plus de quatre mille francs, je possédais plus de quatre mille francs, moi qui hier à Paris débarquais sans savoir comment je vivrais dans huit jours!

La visite à M. Thierry me pesait. Je résolus de m'en débarrasser sur l'heure, en lui disant que je partais le lendemain matin.

Je le trouvai dans son cabinet de travail.

« A votre air radieux, me dit-il, je vois que tout a

marché suivant vos désirs. Tant mieux, j'ai eu peut-être tort de vous effrayer. Quand partez-vous?

— Demain, dis-je.

— Alors, mon cher enfant, c'est votre visite d'adieu. Que vous dirais-je? Je suis sûr que vous vous tirerez admirablement de vos fonctions pédagogiques. Rappelez-vous le grand principe que pose le père de Pascal : Essayez de tenir toujours votre élève au-dessus de sa tâche. C'est une règle impossible à appliquer pour un professeur de lycée qui est obligé de se conformer à la force moyenne d'une classe. Mais quand on a la chance d'avoir un seul élève, on le peut et on le doit. »

L'excellent homme me donna ensuite quelques conseils relatifs au choix des livres dont j'aurais à me servir pour préparer mes cours. Il me remit son Histoire de la littérature allemande qui me fut si souvent là-bas d'un précieux secours.

« Ne me remerciez pas, me dit-il, comme je murmurais quelques mots de reconnaissance. C'est peut-être moi qui serai votre obligé. Je vous ai dit que vous alliez avoir à Lautenbourg une admirable bibliothèque. Son conservateur, le professeur Cyrus Beck — que j'ai eu l'occasion de connaître dans divers congrès —, la surveille jalousement. Mais c'est un scientifique. Je ne doute pas que vous aurez la libre disposition des ouvrages et manuscrits qui n'intéressent pas directement le grand travail qu'il poursuit sur l'histoire des théories de la transmutation des métaux. Or, vous savez peut-être que je suis moi-même en train d'écrire un livre sur les mœurs à la cour de Hanovre à la fin du XVIIe siècle. J'ai pu voir à la Nationale, dans le catalogue de la bibliothèque ducale de Lautenbourg, qu'il y a là des documents d'une importance capitale. J'ai couru ce matin, en vous quittant, dresser les notes des principaux ouvrages que je vous serai reconnaissant de consulter pour moi. Je suis sûr d'ailleurs que cette besogne vous intéressera. Voici ma liste. Je vous signale principalement cet ouvrage : *Stattmutter der Kœniglichen Haeuser Hannover und Preussen,* par la grande-duchesse de Ahlde, édité à Leipzig en 1852. Nous n'en avons à Paris qu'une réimpression incomplète; je vous recommande aussi les livres de Cramer et de Palmblad, ainsi que l'*Octavie romaine (die Roemische Octavia),* du duc Ulric de Wolfenbüttel.

« Malheureusement, continua-t-il tandis que je serrais précieusement le papier, je n'ai pu inscrire que les imprimés. Les manuscrits de Lautenbourg ne sont pas inventoriés. C'est en les parcourant, mon cher enfant, que vous pouvez me rendre les plus précieux services. Nul doute que vous y découvrirez des documents inestimables sur cette société féodale du XVIIe siècle, raffinée en apparence, au fond violente et cruelle plus qu'on ne l'a jamais imaginé. »

Il me tenait les deux mains; son émotion me faisait comprendre qu'il avait encore quelque chose à me dire.

« Je ne veux, pour rien au monde, revenir sur notre entretien de ce matin, murmura-t-il enfin. Mais, mon enfant, vous savez l'intérêt que je vous porte. Je m'en rends compte davantage en vous quittant. Eh bien, je vous en conjure, ne cédez jamais au désir, aux invitations même qui pourraient vous être faites de sortir de votre rôle pédagogique. Il y a à Lautenbourg une assez riche matière pour ceux qui, comme nous, ont mission d'écrire l'histoire. Ecrivons-la, en nous gardant de la tentation d'y participer. »

J'étais de bonne foi lorsque je lui jurai d'avoir toujours ses derniers conseils présents à la mémoire.

« Ecoutez encore. A part le prince Joachim, le grand-duc et la grande-duchesse, M. de Marçais, j'ignore totalement les êtres de Lautenbourg. Pourtant, il y a eu autrefois là-bas un certain baron de Boose. S'il y est encore, voyez cet homme le moins possible. Défiez-vous-en, défiez-vous-en. »

Je voulus avoir la raison de cette recommandation suprême. Mais il était redevenu l'historien consciencieux, le fonctionnaire timoré.

« Non, non, me dit-il. Ce sont des impressions trop personnelles. Quoi qu'il en soit, si cet homme n'est plus à Lautenbourg, ne posez aucune question à son sujet. Attendez qu'on en parle, qu'on fasse allusion à lui... Allons, cher ami. Il faut nous quitter. »

Nous nous embrassâmes. Je ne l'ai plus revu depuis.

*

La dépression que m'avait laissée cette visite disparut vite chez le changeur où je réalisai en billets français la moitié de mes billets de la *Deutsche Bank*. Le reste de la soirée se passa en courses chez les tailleurs, les bottiers, les chemisiers.

Pour la première fois de ma vie, je connus la joie admirable et amère de l'argent dépensé sans compter. De taille ordinaire, je n'eus pas de peine à trouver à *Old England* un complet, un pardessus, des chaussures à ma taille. On fit un paquet de mes pauvres nippes qu'on renvoya rue Cujas.

Alors, confiant en moi-même, je me risquai chez un grand tailleur. Avec l'autorité que me donnait mon portefeuille, je commandai un habit, une redingote, un autre veston. Je payai d'avance les 800 francs demandés sur la promesse que tout me serait livré le surlendemain soir.

Sept heures du soir. Merveille du boulevard des Capucines en octobre. Joie de s'y sentir bien habillé, avec de l'argent, le maître de tout, vous entendez, de tout. Les grelots bleus de l'Olympia faisaient un effroyable tintamarre de lumière. Les fiacres roulaient, les taxis cornaient. La Madeleine, vaguement aperçue, élevait dans le brouillard son énorme entablement d'ombre.

Allons, allons. C'est après-demain que nous quittons tout cela. Jouissons de notre éphémère royauté.

Sensation étrange. J'avais de l'argent. Mais je ne pouvais pas exiger de lui qu'il me donnât des relations à la minute. J'avais de l'argent, mais si je n'avais aucun ami pour le prouver, c'était comme si je n'en avais pas eu.

Une idée lumineuse me vint alors avec un brusque souvenir. J'entrai chez Weber. N'était-ce pas là que, tout à l'heure, se réuniraient Ribeyre et ses amis de la veille? La pensée de Clotilde m'obsédait. Elle avait hier un grand manteau de velours noir d'où émergeait sa tête rose aux bandeaux blonds étrangement lisses. Quelle joie de me montrer à elle avec mes nouveaux avantages!

Ribeyre était déjà là.

« Eh bien, mon cher! tout est pour le mieux. Je viens de voir Marçais qui est ravi. Il paraît que tu as une voix de charmeur! Diable, tu n'as pas perdu de temps », dit-il en remarquant ma transformation.

Quand Mme de Rénal fait abandonner à Julien Sorel sa petite veste de ratine, quand Lucien Chardon, pour s'y muer en Rubempré, arrive à Paris avec Mme de Villeneuve-Bargeton, née de Négrepelisse d'Espard, ces jeunes gens trouvent immédiatement leur chemin de Damas. Il n'y a pas eu pour eux d'étape dans le dandysme. Je crus saisir une nuance d'étonnement moqueur chez Ribeyre. Je pensai à Baudelaire dont Gautier disait qu'il râpait avec du papier de verre ses nouveaux habits pour leur ôter cet éclat du neuf, si cher aux philistins et aux bourgeois. Mon assurance en vacilla, mon plaisir risqua de s'en trouver du coup gâté. Puis : « Bah! pensai-je. Ce n'est que de la confection. Je ne pouvais pourtant venir ici avec mes souliers éculés et mon veston d'il y a deux ans. Ils verront bien dans deux jours. » Et la certitude d'être allé chez un des tailleurs les plus coûteux me rendit toute ma confiance.

Clotilde survint. Elle portait une fourrure de renard blanc qui me parut bien, ce soir-là, le comble du luxe et du bon goût. Quand j'eus acheté pour elle toutes les violettes d'une misérable qui vint les lui offrir, elle daigna s'occuper de moi et me fit comprendre que j'étais beaucoup plus de son gré.

« Clotilde, dit Ribeyre, si tu m'aimes, tu tromperas ce soir Surville avec mon ami Vignerte. Il a de l'argent et il part après-demain, deux choses que les femmes ont coutume d'apprécier. »

Un quart d'heure plus tôt, cette plaisanterie d'homme m'eût paru terriblement déplacée. Mais l'horrible porto blanc faisait son œuvre; puis Clotilde riait, amusée, ne disant pas non.

Surville arrivait avec l'autre, un nommé Mouton-Massé. Ils étaient tous les deux au cabinet du ministre de l'Intérieur, l'un attaché, l'autre chef adjoint.

« Nous n'allons pas encore rester dans cette boîte, dit le grand Surville. Deux fois, en suivant, c'est trop. Charmé, monsieur, vous dînez avec nous.

— Mon ami Vignerte me charge de vous prier de vouloir bien accepter à dîner, dit Ribeyre. Il part après-demain pour la cour de Lautenbourg et désire nous faire goûter à ses frais de voyage. »

Le petit Mouton-Massé fit comprendre qu'il admettait fort bien mon désir.

« Où va-t-on? »

Ces messieurs discutèrent dix bonnes minutes, se renvoyant comme des volants des noms qui m'étaient absolument inconnus : Viel, les Sergents, la Tour, entremêlés de bizarres vocables d'animaux : le Coucou, l'Escargot, l'Ane rouge.

Je n'écoutais pas. Un troisième porto me versait une infinie béatitude. Cette chaude atmosphère de café me grisait. Je songeais avec mépris à ma destinée d'hier, aux bourses d'études, à l'agrégation, aux doyens des quatre facultés, au vice-recteur dans son cabinet de la rue des Ecoles. Ces femmes élégantes, ces jeunes gens pleins de morgue qui tournaient autour de moi sous la lumière me rappelaient le froid couloir de la Sorbonne et la fresque d'Henri Martin : celle où M. Anatole France, vêtu comme un explorateur, dans un paysage plein de confetti, expose à une dizaine de jeunes agrégés mal habillés sa conception personnelle de la destinée humaine.

« La véritable conception de la vie, la voilà! » pensai-je voluptueusement en contemplant Clotilde qui piquait le bouquet mauve et vert sur sa fourrure blanche.

Ribeyre et ses amis s'étant enfin mis d'accord, nous montâmes dans un taxi qui nous déposa place Gaillon, devant un restaurant dont j'ai oublié le nom.

A l'intérieur, de lourdes tentures dérobaient aux passants la vue de la salle, jalousement. Surville, qui connaissait l'endroit, nous mena dans un petit cabinet où cinq couverts furent rapidement dressés.

J'étais à côté de Clotilde, ou du moins de la femme qui portait ce nom. C'était pour moi l'essentiel. Ce qu'on servit dans ce fameux dîner, je l'ai à vrai dire oublié. Sans doute, des choses qui poivraient la bouche, car nous bûmes énormément. « Tu me donnes carte blanche », me demandait Ribeyre, en me désignant alternativement d'un coup d'œil moqueur Clotilde et Surville. Un petit sommelier noir prenait les commandes avec onction. Sans pouvoir l'affirmer, je crois que ce Ribeyre s'y connaissait. Pas de champagne, avait-il déclaré. Je ne sais plus. On avait débuté par un petit Pouilly sec comme du verglas, à cause des huîtres. Puis Mouton-Massé, qui était de par là, avait réclamé du Saint-Emilion 1892. Sur quoi, Clotilde, qui était comme par hasard de Beaune, insista pour du vin de son pays. Je ne manquai pas cette occasion de lui faire la cour et osai interpeller le sommelier pour avoir le meilleur. Là-dessus Ribeyre trouva de circonstance de faire apporter, dans un de ces vases à long col et d'étroite embouchure, du Wolxheim. Je dois ajouter que le succès fut pour moi qui réclamai en fin de compte du vin de sable des Landes. Aucun de nos compagnons n'avait jamais goûté de ce redoutable cru, qui puise sur nos maigres dunes le pâle et jaune dépôt du soleil marin, qui laisse la tête libre, le buste alerte, mais sape impitoyablement les jambes.

Surville et Mouton-Massé me tutoyaient. Clotilde m'appelait Raoul et me faisait jurer de lui envoyer des cartes postales. Ribeyre, plus fort, en conversation constante avec le petit homme noir, me faisait signe de l'œil : « Ne te gêne pas. »

J'étais semblable aux dieux, avec en plus la conscience de ma rapide ascension. Je revoyais la pauvre guimbarde qui m'emportait deux jours plus tôt vers la gare perdue de la Lande. Une seule lanterne dans cette nuit; et du vent, du vent. Celui de la mer. Et en moi, plus de nuit encore.

Or liquide, le Sauternes brillait dans les verres. Les abat-jour des lampes électriques se reflétaient en lui comme de petites tulipes roses. Je voyais les dents de Clotilde luire sur le cristal où elle buvait, à petits traits, avec des rires qui soulevaient sa gorge blanche. Sa main, posée sur la mienne, me transmettait les sursauts de ce doux animal sans malice. Ribeyre exultait. Mouton-Massé mangeait des crêpes au kirsch. Surville buvait.

Il y eut une scène au moment des liqueurs, que Surville voulait absolument faire servir dans des verres à bordeaux. Mouton-Massé avait beau lui faire observer que les verres à dégustation suffisaient, puisque les bouteilles restaient sur la table. Il s'obstinait. On lui en donna un.

Les maîtres d'hôtel étaient partis. La fumée des cigares atténuait l'électricité. Les fleurs mouraient sur la table. Surville ronflait. Mouton-Massé avait tiré son calepin et s'efforçait à je ne sais quelle addition dans laquelle il s'embrouillait en jurant, et Ribeyre, qui n'avait pas lâché son idée, son bras droit passé sous mon bras gauche, son bras gauche sous le droit de Clotilde renversée, nous attirant l'un contre l'autre, parlait à l'oreille de la jeune femme qui riait, les lèvres humides, le dos secoué de petits frissons.

*

Le vendredi soir 24 octobre 1913, tout était prêt pour mon départ. Mes effets étaient emballés dans une grande malle neuve; une caisse plus petite contenait mes livres. Je n'avais rien voulu jeter des pauvres vieilles choses ramassées dans ma chambre d'hôtel et qui résumaient trois ans d'une vie laborieuse et triste. Le tout, empaqueté proprement dans l'antique malle qui avait été celle de ma mère, y compris mon uniforme d'officier de réserve déjà râpé par deux périodes d'instruction, — les pauvres gens en ont toujours fait volontairement de supplémentaires, — le tout, dis-je, j'étais allé le porter à la gare d'Orsay, à l'adresse du vieux prêtre qui m'avait hébergé en vacances.

A cinq heures, je finissais une lettre pour lui faire part de mon nouveau sort; j'avais fait mes comptes. Il me restait un peu plus de deux mille trois cents francs, y compris dix louis que j'avais été heureux de prêter à Ribeyre. Je résolus d'adresser une somme équivalente à mon vieux curé pour sa misérable église croulante au milieu des dunes.

Après avoir jeté ma lettre à la poste de la rue de Tournon, je remontai par le Luxembourg, je passai devant la pâle fontaine Médicis où j'avais attendu tant de fois des élues imaginaires. Le garde républicain était enfoui dans sa guérite, invisible. Jamais le grand jardin royal n'avait été plus désert qu'en ce soir d'automne incliné sur l'hiver.

Au milieu des arbres dénudés, sous un ciel jaune et mourant, le cercle frileux des reines arrondissait ses socles de marbre, étrangement blancs dans la nuit qui venait.

Cinq heures et demie sonnèrent à l'horloge du Sénat. Au cœur de Paris, c'était la mort et l'abandon.

La grande vasque octogone, dont le jeu d'eau s'était tu, étendait son miroir, plus clair — par quel miracle? — que le ciel. Un homme, le seul avec moi dans le parc illustre, était arrêté au bord avec des gestes bizarres de semeur. Il jetait du pain aux oiseaux. Il y avait là trois douzaines de moineaux, de ramiers gris et lourds, aux allures gauchement colères.

C'était un vieillard, avec un paletot verdi, au col de fourrure élimé. Un sac était posé à ses pieds.

Je m'approchai, les oiseaux s'envolèrent.

Le vieux regarda d'un air de reproche, jeta son sac sur son épaule et s'en alla.

Quand je sortis moi-même du jardin, la nuit était complètement tombée.

Quatre heures après, je prenais à la gare de l'Est l'express Paris-Berlin.

II

Au ciel d'acier bleu, la froide étoile qui brillait tout à l'heure avait disparu.

Vignerte eut un sursaut : « Quelle heure est-il?

— Minuit moins dix », répondis-je, ayant fait jouer une lampe électrique.

Je réveillai les deux hommes de communication : « Henriquez, va à la troisième section. Dis à l'adjudant de surveiller la relève du deuxième peloton. Qu'il vienne rendre compte ici, au lieutenant Vignerte. Toi, Damestoy, va à la deuxième section, dis au chef de faire de même pour le premier peloton. Ah! qu'il n'oublie pas, pour deux heures, la patrouille. C'est la onzième escouade qui la fournit, caporal Toulet. C'est compris? Allons, réveillez-vous un peu. »

Les deux soldats se hissèrent au-dehors. Pendant deux secondes, nous ne vîmes plus le trou de ciel bleu.

Quelle étrange nuit calme! A peine, de-ci, de-là, un coup de fusil égaré; pas un coup de canon.

Vignerte continua son récit.

Avez-vous lu le *Baron de Heidenstamm?* Meyer Forster y a pillé un peu Tolstoï — (tout le chapitre de la course pour la coupe de l'empereur est pris à

Anna Karénine) — et beaucoup, hélas! notre Octave Feuillet. Malgré cela, cependant, lisez les pages consacrées à Hanovre, à la vie de garnison allemande, au parc royal sous la neige. Il y a des impressions qui sont bien celles que je ressentis en arrivant à Lautenbourg, le dimanche 26 octobre 1913, à dix heures du matin.

Depuis huit heures, j'avais vu disparaître peu à peu les cimes du Harz walpurgique, noyées au sud dans des nuées cuivrées. Ce furent alors des plaines fertiles, sans beauté, sans caractère. Puis, lorsque le train eut traversé l'Aller, le paysage s'accidenta. Alors, bondissant dans son lit basaltique, apparut la sinueuse rivière Melna, qui se jette dans l'Aller à une soixantaine de kilomètres en aval de Lautenbourg. On approchait.

Le ciel était triste et blanc. La ville, accrochée aux pentes d'une colline autour de laquelle tournait la Melna, avait quelque chose de Pau, ou mieux, à cause des briques roses des maisons, de Saint-Gaudens. Tout en haut, de très loin, dans un fouillis d'arbres, je vis une haute tour. Je devinai le château.

Comme un cheval qui sent l'écurie, le train forçait sa vapeur. Nous longions et traversions des ruisseaux qui coulaient entre deux rangées de saules; à voir les eaux blanchir aux petits rochers, secouer les herbes aquatiques, on devinait le doux frisselis qu'on n'entendait pas. Un paysage assez pur et tranquille en somme, un peu Ile-de-France, même. Mon Dieu, après tout, on pouvait être heureux là.

La gare de Lautenbourg, par exemple, était franchement ignoble. La fameuse gare de Metz, en plus petit et en plus excentrique. Je n'eus pas d'ailleurs le loisir de la détailler.

« Monsieur le professeur Vignerte? » venait de me murmurer avec obséquiosité l'employé à casquette à qui j'avais remis mon billet.

Marçais avait télégraphié mon arrivée.

L'homme à la casquette fit un signe. Deux grands diables de laquais en livrée noir et or se dressèrent devant moi.

Tandis que l'un prenait mon bulletin de bagages, l'autre me faisait monter dans une énorme limousine qui démarra immédiatement.

En dix minutes, nous avions traversé Lautenbourg et pénétrions à toute allure dans la grande cour du château. Une sentinelle, à tout hasard, me porta les armes.

« Si monsieur le professeur veut se donner la peine de descendre », dit le laquais en ouvrant la portière, tandis que le chauffeur cornait.

Un gros maître d'hôtel rubicond parut sur le perron. Il s'inclina trois ou quatre fois.

« Monsieur le professeur a fait bon voyage? Que monsieur le professeur veuille bien me suivre. Je vais le conduire dans son appartement. »

Avec toutes les agrégations réunies, je n'aurais pas été salué en France de ce titre de professeur autant de fois en dix ans que je le fus à Lautenbourg dans la seule matinée de mon arrivée.

Mes bagages étaient dans ma chambre. Je vis avec un certain plaisir qu'une collation de la meilleure mine était disposée sur le guéridon.

« Si monsieur le professeur a besoin de la moindre chose, il n'a qu'à sonner. Ludwig, le valet de chambre de monsieur le professeur, est à côté, à sa disposition. »

Sur le point de sortir, le gros homme s'inclina encore plus bas, me tendant une enveloppe largement cachetée de rouge.

« Si monsieur le professeur veut bien prendre connaissance de la lettre qu'a laissée pour lui M. le commandant de Kessel. »

M. le commandant de Kessel, gouverneur de Son Altesse le duc héritier, m'adressait ses excuses pour n'avoir pu m'accueillir à mon arrivée. Mais toute la cour de Lautenbourg était à la chasse, et lui-même avait dû accompagner son élève. Il m'invitait en conséquence à disposer de ma journée pour prendre mes habitudes au palais. Il aurait l'honneur de m'attendre le lendemain, lundi, à dix heures moins le quart, pour me présenter à dix heures au grand-duc Frédéric-Auguste.

Désirant entrer immédiatement dans l'exercice de mes prérogatives, je sonnai. — Ludwig parut.

« Ah! toi, pensais-je, rien qu'à te voir M. Thierry se sentirait rassuré. »

Ce garçon, âgé d'une trentaine d'années, avait la figure la plus prodigieusement inexpressive qu'il m'ait été donné de contempler avant mon entrée en Allemagne. Depuis, je me suis familiarisé avec ces bonnes boules de son blondes, aux yeux bleus. C'est la tête que nous voyons à neuf sur dix de nos prisonniers.

Je ne pus arracher à Ludwig qu'un renseignement, c'est que je prendrais mes repas au rez-de-chaussée (mon appartement étant au premier étage), dans une salle à manger réservée à la maison civile et militaire du duc héritier, c'est-à-dire à moi, au commandant de Kessel et au professeur Cyrus Beck, de l'Université de Kiel, chacun de nous ayant d'ailleurs la latitude de se faire servir chez soi.

Vignerte, qui, depuis le début de son récit, avait parlé de la même voix égale, retrouvant sans difficulté les moindres détails d'une histoire avec laquelle il vivait visiblement nuit et jour, Vignerte, ici, fit une pause :

Je sens, mon cher ami, que mes souvenirs ne vous ennuient pas. Mais, ici, je commence à me rendre compte de la difficulté de ma tâche de narrateur. Jusqu'à présent, l'ordre chronologique suffisait. Je crois maintenant, que, sous peine de tout brouiller et de vous obscurcir les idées, avec une nuée de petits faits, il m'y faut momentanément renoncer. Permettez donc que je vous présente analytiquement Lautenbourg et ses habitants. Quand tout cela sera en place, nous reviendrons aux événements. Ils se chargeront de la synthèse.

§ I. — Du palais.

Ce n'est pas le palais, c'est les palais qu'il faudrait dire, puisque la résidence des grands-ducs de Lautenbourg-Detmold est formée par la réunion d'un château Renaissance, bâti au flanc d'un donjon gothique, et d'un palais Louis XIV, copié sans vergogne sur Versailles. Pris à part, chacun de ces édifices ne manque pas de style. Mais leur amalgame a coûté une peine infinie à l'architecte du grand-duc Ulrich, grand-père du prince actuel, qui fut chargé de la fusion de ces édifices incompatibles. Il s'en est tiré en jetant par terre une aile à gauche, une tourelle de flanquement à droite, et en élevant au milieu une espèce de hall qui tient de la gare d'Orsay et de la chapelle de Versailles. J'avoue que le problème était scabreux, mais pourquoi est-ce en Allemagne que se posent toujours ces insolubles cas de conscience architecturaux?

Telle qu'elle est, cette énorme construction sert de salle de conseil et de salle des fêtes; je dois dire que, communiquant avec la galerie du palais et la salle d'honneur du château, elle tient assez bien ce rôle.

Le palais se soude au château par le milieu, donnant au plan général de l'édifice la forme d'un *T*. Le tout est situé sur une hauteur qui domine la ville, abrupte au pied du château, lentement déclive derrière le palais. La Melna, après avoir traversé Lautenbourg, tourne autour du château dans un ravin assez profondément encaissé, cent pieds environ, puis elle s'éloigne et clôt le jardin à la française qui s'étend derrière le palais.

Du côté de la ville, montant vers la résidence ducale, se trouve une immense esplanade, toujours dans le style de celle de Versailles. C'est aussi la place d'armes. On y passe les revues. Une grille dorée part de l'aile gauche du palais pour venir se souder, formant une cour triangulaire, à l'aile droite du château, dont elle laisse en dehors la maîtresse tour.

C'est cette tour, seule survivance du manoir gothique des vieux burgraves de Lautenbourg, qui porte à son sommet la bannière blanche et noire au léopard d'or, avec la devise de Lautenbourg : *Summum decus, flectere.* Cette tour est naturellement déshonorée, comme le reste du château, par un luxe de motifs ornementaux dans le mode d'Augsbourg. Si le donjon est plaqué de mâchicoulis de fer-blanc, le perron d'entrée, dont l'escalier possède pourtant des rampes admirables, est surmonté d'un fronton corinthien.

Le côté qui donne sur la Melna est moins abîmé. Le gouffre l'a préservé, je pense, et les artistes en carton-pâte ont sans doute regardé à deux fois avant d'y venir coller leurs embellissements. Le lierre les a remplacés, ainsi que les énormes hêtres, poussés au bord de la rivière, et qui balancent leurs masses sombres sous les grandes fenêtres lancéolées.

Je n'ai pas besoin de vous décrire le palais : Versailles étriqué, Versailles avec vingt-cinq fenêtres de façade au lieu de quatre-vingt-neuf, mais Versailles assez bien imité, somme toute, une copie encore majestueuse de la majesté.

Le parc français, sous ce ciel hanovrien, parle malgré tout à l'âme. Les seigneurs du lieu y ont visiblement appliqué tous leurs soins. La discipline allemande a fait merveille. Tout est droit et lisse. Un tapis vert impeccable conduit au bassin de Perséphone, un assez bon morceau d'Ernout, assez bon élève lui-même de Coysevox. On a d'ailleurs le secret de cette noblesse générale dès qu'on sait que le plan de ce jardin est dû à la Quintinie, qui envoya pour l'exécuter son meilleur ouvrier.

Si le grand-duc Georges-Guillaume, pensionné par le roi de France, fut un grand admirateur de Louis XIV, son petit-fils Frédéric reste un des plus beaux produits du despotisme éclairé. Il reçut Voltaire à son passage, et connut Rousseau chez Grimm. C'est à lui que l'on doit les jardins à l'anglaise qui entourent le parc français élevé par son grand-père et descendent en des lacis non dénués de pittoresque vers la Melna. La claire et bondissante rivière est traversée par un pont de bois qui a gardé le nom de pont de la Meilleraie, assez large pour y laisser passer les cavalcades qui s'en vont chasser dans la splendide forêt du château, l'Heerenwald, dont on voit, des terrasses, les frondaisons onduler à l'infini.

§ 2. — DE MON APPARTEMENT.

Deux grandes pièces boisées, au premier étage, dans la partie nord du château, c'est-à-dire celle qui est opposée à la place.

Une des deux chambres, celle où je travaille, donne

sur la terrasse. Par la fenêtre ouverte, j'aperçois la mer noire des arbres sous le ciel jaune. Un calme immense.

L'autre, plus gaie, a ses deux fenêtres qui donnent sur le ravin où mugit la Melna, mais par-delà, voici le Kœnigsplatz, la caserne du 182e d'infanterie, la cathédrale, violemment coloriée. Un flocon blanc roule sur deux parallèles bleues : le train de Hanovre qui m'a amené.

Je bénis la décision qui m'a logé dans ce corps de bâtiment. Une gigantesque cheminée, de curieuses ferronneries; tout cela date du temps où le goût lautenbourgeois n'était pas encore irrémédiablement compromis.

Je suis tout au bout du château, juste au-dessus de la salle dite des armures. Cette salle, la plus curieuse, est aujourd'hui à peu près désaffectée. On lui a retiré les belles armures des grands burgraves éponymes, celle de Goetz de Vertheidigen-Lautenbourg qui fut le bras droit d'Albert l'Ours, celle de Miltiade Bussmann, qui blessa Henri de Lion, celle de Cadwalla nommé par Hugo, dont le heaume porte encore la marque du terrible coup de massue qu'y assena, à Bouvines, le colossal Guillaume des Barres.

§ 3. — De leurs altesses.

Le grand-duc Frédéric-Auguste a ses appartements au premier étage du palais. Sa chambre, comme celle de Louis XIV, est au milieu du corps de logis. Son cabinet de travail est à droite, en regardant le parc. C'est là que Kessel m'a amené, le lendemain de mon arrivée, à dix heures du matin.

Le grand-duc travaillait devant un bureau Louis XV, très simple.

Il s'est levé et m'a tendu la main.

« Monsieur Vignerte, je n'ai pas besoin de vous dire le bien que contient de vous la lettre de M. de Marçais. Je sais que c'est le ministre des Affaires étrangères de France qui vous a désigné à son choix éclairé. J'aurais tort de ne pas me déclarer pleinement satisfait de telles références. Je souhaite simplement que vous trouviez à Lautenbourg un peu du plaisir que nous avons à vous y accueillir. »

Le grand-duc est de taille élevée, d'un an plus jeune seulement que son frère aîné, feu le grand-duc Rodolphe. Né en 1868, il a donc aujourd'hui quarante-cinq ans. Blond, un peu chauve, entièrement rasé, il a un œil bleu qu'il laisse d'abord peser sur vous, puis qui devient vague. Sauf dans les grandes circonstances, je ne l'ai jamais vu vêtu que de l'uniforme de petite tenue de général de division, bleu foncé, à collet rouge, sans décorations.

Ses mains sont fines. Il les regarde avec complaisance.

« M. de Kessel, continue-t-il, vous a peut-être déjà averti de ce que sera votre tâche. Inutile de vous dire, monsieur, que j'entends vous laisser sur la façon de la comprendre la plus grande liberté. Vous savez que mon fils est inscrit à l'Université de Kiel; je tiens à ce qu'il y prenne ses grades. Vous serez donc forcé de vous inquiéter des programmes. Cela dit, conformez-vous à la méthode qui vous plaira. Vous avez surtout la charge de l'histoire et de la littérature. Je ne connais pas vos opinions politiques, monsieur, ajouta-t-il en souriant. Je me les figure un peu libérales. Ne vous croyez pas obligé d'en changer. Le libéralisme n'est redoutable que pour les démocraties. Un chef d'Etat avisé a toujours su en tirer un excellent parti. »

Il sonna.

« Prévenez le duc Joachim que je l'attends dans mon cabinet. »

Mon élève était un grand jeune homme blond pâle, à l'air un peu endormi. Je compris que sa vivacité d'esprit ne m'obligerait jamais à la tempérer.

« Joachim, dit le grand-duc d'une voix moins amène que celle dont il s'était servi pour moi, voici M. Vignerte, votre nouveau professeur de lettres. J'espère que les progrès que vous ferez avec lui seront plus rapides que ceux qu'a obtenus de vous M. Ulricht. Quelle note a-t-il eue, Kessel, à sa dernière interrogation de tactique?

— 8 sur 20, Altesse, répondit Kessel.

— Ce n'est pas assez. Je veux que la prochaine fois, vous ayez la moyenne. Vous pouvez vous retirer. »

Le jeune homme sortit avec une joie mal dissimulée.

« Vous voyez, monsieur, dit le grand-duc en revenant vers nous, que vous pourrez absolument compter sur mon autorité. Notez mon fils strictement, sévèrement même. Vous aurez toujours mon approbation. »

Il fit un geste pour nous congédier.

« A propos, dit-il en me rappelant, Marçais vous a-t-il prévenu que vous aurez peut-être l'occasion d'utiliser parfois votre talent de lecteur auprès de la grande-duchesse? Oh! ajouta-t-il, c'est peut-être un excès de précaution de ma part de vous en prévenir. Il se peut très bien que ma femme ne fasse pas appel à vous. Elle est pour le moment revenue à sa passion du cheval. Mais enfin, il faut tout prévoir, et rassurez-vous, termina-t-il avec un sourire qu'il savait rendre exquis, je saurai veiller à ce qu'on n'attente pas à votre liberté outre mesure.

— Je serai heureux de me mettre à l'entière disposition de la grande-duchesse, quand il lui plaira.

— Merci », dit-il, en se remettant au travail.

Dans le corridor, Kessel me dit :

« Si la grande-duchesse avait la fantaisie de vous voir, il faudrait que je puisse vous avertir tout de suite. Je laisserai un mot à votre valet de chambre. Ne manquez pas de repasser chez vous. »

Ce fut ainsi que, depuis le lendemain de mon arrivée au château, jusqu'au jour de la fête des hussards de Lautenbourg, où je la vis pour la première fois, je remontai journellement cinq et six fois chez moi, plus vexé que je ne voulais me l'avouer de n'y jamais trouver la convocation par laquelle la grande-duchesse Aurore-Anna-Eléonore me manifesterait son bon plaisir.

§ 4. — De la cour.

Est-ce cour qu'il faut dire en parlant de l'entourage des ducs de Lautenbourg? Le mot est un peu bien gros. Mais je n'en trouve pas d'autre et il cadre assez bien avec l'étiquette rigide qui régnait au château.

Je vous ai déjà parlé du commandant comte Albert de Kessel, du 11e d'artillerie prussienne, en garnison à Kœnigsberg.

Sorti premier de la *Kriegs Akademie* de Berlin, Kessel est sans doute un des meilleurs officiers de l'armée allemande; officier, il l'est dans l'âme. Mais, préoccupé uniquement de son métier, il n'affecte que juste ce qu'il faut de l'insupportable morgue de caste. Il m'a toujours traité avec la courtoisie la plus parfaite, et je n'ai jamais eu qu'à me louer des conseils qu'il m'a donnés et de l'influence qu'il exerce sur le duc héritier.

Le gros colonel de Wendel, des cuirassiers de Hanau, cumule les fonctions de gouverneur du palais et de chef de la maison militaire du grand-duc. A ce dernier titre, il a sous ses ordres le capitaine Müller, des chasseurs wurtembergeois, les lieutenants Bernhardt et de Choisly, des uhlans, officiers d'état-major du grand-duc.

C'est un brave homme qui passe son temps à crier quand le grand-duc n'est pas là, et à trembler lorsqu'il y est, comme une feuille morte. Je crois que Kessel a pour lui un profond dédain. Lui-même respecte infiniment Kessel, qui est du grand Etat-Major. Il ne lui viendrait jamais à l'idée que sa double fonction lui permît de donner un ordre à ce taciturne artilleur.

En revanche, sa bête noire est le petit lieutenant de Hagen, des hussards de Lautenbourg, officier d'ordonnance de la grande-duchesse. Maintes fois il y a eu des conflits entre le colonel et le lieutenant. Mais ce dernier est soutenu par la grande-duchesse qui ne peut s'en passer. Le grand-duc ne veut absolument pas d'histoire de ce côté. Wendel a dû plier. Dès les premiers jours de mon arrivée, j'ai senti l'animosité de ces deux hommes. Sans être allé jusqu'aux confidences, le gouverneur du château a eu deux ou trois mots amers sur les difficultés de sa charge. Je sens que si je le poussais... Mais j'ai juré de rester chez moi et de ne jamais me mêler de leurs histoires.

Pourtant ce petit Hagen me déplaît terriblement. avec son monocle, sa façon de vous dévisager, sa suffisance d'homme qui se sent gardé à carreau. La grande-duchesse se l'est attaché depuis deux ans. Il paraît qu'au moment où elle l'a pris aux hussards de Lautenbourg, il était sur le point de se faire sauter la cervelle pour une histoire de jeu.

Les autres sont généralement aimables. Ils le sont devenus beaucoup plus depuis qu'ils ont su que j'étais officier de réserve. Ce jour-là le colonel de Wendel m'a invité à dîner. Mme de Wendel, une tendre rousse de quarante ans, m'a appelé tout le temps M. le lieutenant. Au dessert, pendant que le sergent-major venait « communiquer », elle m'a demandé d'une voix humide si j'avais lu *La Fiancée de Messine*.

Après tout, je préfère passer ainsi mes journées qu'à la Sorbonne, au cours de M. Seignobos. Je dis celui-là comme j'aurais dit tout autre.

§ 5. — De la bibliothèque et du bibliothécaire.

La première tient une place si considérable dans ce récit qu'il me semble impossible de ne pas lui consacrer quelques détails.

Quant au second, le professeur Cyrus Beck, de l'Université de Kiel, n'est-il pas équitable d'apporter un bref hommage à l'homme dont j'ai involontairement causé la mort?

La bibliothèque est actuellement installée au château, dans la chapelle désaffectée. On a refait dans le palais une chapelle de style légèrement jésuite. L'admirable salle ogivale, qui coupe à angle droit les salles d'honneur et des armures, est devenue libre. La porte de gauche donne dans la salle des armures. On pénètre dans la bibliothèque par la porte du fond de la salle d'honneur.

En trois ou quatre fois plus grand, elle rappelle la bibliothèque du château de Montesquieu à la Brède, avec cette différence que, si mes souvenirs sont bons, à la Brède la voûte est romane. Sauf ce détail de structure, même agencement général. Au milieu, une immense vitrine, avec les plus curieux échantillons de numismatique. Il y a une médaille d'or de Conradin qui est un chef-d'œuvre.

Cinq ou six lutrins ont été transformés en bureaux roulants, fort pratiques pour le travail. Un grand jeu d'électricité rend les recherches très commodes. La salle est en effet tellement sombre qu'on n'y saurait lire ou écrire sans ce secours.

N'attendez pas que je vous donne le plus léger aperçu des richesses amoncelées ici depuis Gutenberg. Je crois qu'on ne saurait écrire un ouvrage quelconque sur l'Allemagne sans avoir recours à la bibliothèque de Lautenbourg; le registre où l'on demande aux visiteurs qui sont venus travailler ici de vouloir bien apposer leur signature porte les noms les plus illustres; j'y ai relevé ceux de Leibnitz et de Humboldt, d'Ottfried Müller et de Curtius de Schleiermacher et de Renan.

Plus précieux encore sont les trésors que contient la sacristie. C'est là, dans les armoires boisées réservées jadis aux chasubles et aux calices, que sont empilés les inestimables manuscrits qui proviennent, soit des archives publiques et privées des ducs de Lautenbourg, soit des acquisitions effectuées par ceux de ces ducs qui se sont intéressés à ces choses; c'est au frère du grand-duc actuel, au grand-duc Rodolphe, que l'on doit quelques-unes des pièces les plus importantes. M. Cyrus Beck, bibliothécaire, chargé du classement, les tient jalousement sous clef.

M. Cyrus Beck, professeur en congé de l'Université de Kiel, a été prêté voilà dix ans au grand-duc Rodolphe par le recteur Etlicher pour la classification de ses manuscrits.

Le grand-duc actuel l'a maintenu dans lesdites fonctions en lui demandant de vouloir bien réserver quatre heures par semaine à initier le duc Joachim aux sciences exactes.

Le vieux professeur passe une moitié du temps qui

lui reste dans la sacristie, au milieu des manuscrits, l'autre dans son laboratoire, au milieu des fourneaux et cornues. Ce laboratoire est situé dans le triangle formé par la salle des armures, la chapelle et la muraille du château. Comme ma chambre, il a vue sur le ravin de la Melna, ou plutôt sur les arbres qui obstruent à peu près tout coup d'œil.

La première fois que je pénétrai dans ce laboratoire, conduit par Kessel qui venait me présenter à notre collègue, j'y fus reçu à peu près comme Gulliver, parmi les toiles d'araignée de l'académie de Laputa.

Une voix criarde commença par nous intimer violemment l'ordre de fermer la porte, affirmant que le courant d'air allait éteindre les fourneaux.

Puis un petit bonhomme surgit furieusement du milieu d'une fumée âcre. Le docteur Cyrus Beck avait un crâne chauve, poli, comme passé aux acides les plus virulents. Un long sarrau jaunâtre, couvert de taches chimiques, l'entourait de la tête aux pieds. Au milieu de son attirail, il était véritablement très hoffmanesque.

La vue de Kessel le calma. Il s'excusa et nous dit qu'il en était à une expérience décisive de ses travaux sur l'isolation de ... (un corps dont j'ai oublié le nom). Il était devenu presque aimable lorsque mon compagnon lui apprit que je comptais poursuivre moi-même certaines recherches dans le département des manuscrits. Il s'inclina, le commandant ayant ajouté que le grand-duc le priait de me donner sur ce point les plus grandes facilités, mais je vis bien qu'il ne favoriserait pas précisément ma tâche.

« Bah! pensais-je avec insouciance, ce vieil hurluberlu est plein de manies, je saurai bien, à la longue, découvrir celle qu'il faut flatter. »

Rien ne me pressait. Je m'étais donné deux semaines

avant de me mettre à travailler pour le compte de M. Thierry, et, éventuellement, pour le mien.

§ 6. — De l'Etat de Lautenbourg-Detmold.

Le grand-duché de Lautenbourg-Detmold, un des vingt-sept Etats de la confédération allemande, s'étend du nord au sud sur une longueur d'environ cent kilomètres. Sa largeur, de l'est à l'ouest, varie entre vingt et quarante kilomètres. Sa population est de 280 000 habitants.

Le Schwarzhugel, dernier contrefort du Harz, est le seul système orographique qui rompe avec la monotonie de la plaine hanovrienne.

Du point de vue des eaux, le grand-duché est limité par le Weser, traversé par l'Aller. La Melna est la rivière la plus importante quant au nombre de kilomètres où elle coule en territoire lautenbourgeois.

Une forêt de hêtres et de sapins, l'Heerenwald, qui commence au nord de Lautenbourg, couvre un bon tiers de son territoire. Le reste est constitué par des terrains sablonneux, assez rebelles à l'agriculture, mais tout à fait propres à la chaufournerie, qui est la ressource principale du pays.

Deux villes : Sandau, cité exclusivement industrielle, dans la plaine, au nord, 22 000 habitants; Lautenbourg, capitale du grand-duché, 40 000 habitants, siège de l'évêché, de la cour d'appel; une brigade de cavalerie, formée du 11ᵉ dragons et du 7ᵉ hussards; un régiment d'infanterie, le 182ᵉ; un demi-régiment d'artillerie; un détachement du 3ᵉ génie.

La constitution est monarchique; les grands-ducs de Lautenbourg-Detmold se succèdent par ordre de primogéniture, les femmes n'étant pas exclues de la succession. A la fin du XVIIIe siècle, la grande-duchesse Charlotte-Augusta a exercé seule le pouvoir. Aujourd'hui, le grand-duc Frédéric-Auguste le doit à son mariage avec la grande-duchesse héritière.

Le grand-duc de Lautenbourg est vassal immédiat du roi de Wurtemberg, vassal médiat de l'empereur d'Allemagne.

L'Etat de Lautenbourg élit trois députés au Reichstag. Deux de ces députés sont agrariens; l'autre, celui de Sandau, est socialiste. Tous les trois font, de droit, partie de la diète ducale, qui se réunit deux fois l'an, au château de Lautenbourg. Font également partie de droit de la diète le président du conseil municipal de Lautenbourg et deux conseillers désignés par leurs collègues. Les autres membres de la diète sont élus, au suffrage restreint, par la population du grand-duché. Le grand-duc en est président. Une délégation permanente de six membres, analogue à nos commissions départementales, assure, en dehors des sessions, l'expédition des affaires courantes.

§ 7. — Récapitulation : de la vie a Lautenbourg.

Quatre fois par semaine, je donne mes leçons au duc héritier : deux leçons d'histoire, une de philosophie, une de littérature. Je me rends à cet effet dans son appartement, situé dans l'aile droite du palais, la partie centrale, on se le rappelle, appartenant à son père, l'aile gauche étant réservée strictement à la grande-duchesse Aurore.

Le cabinet de travail du duc Joachim a ses murs tapissés de cartes allemandes, signées Kiepert, les meilleures. Deux portraits, celui du grand-duc, et celui de sa première femme, née comtesse de Tepwitz, une brave Bavaroise, avec la croix de Luther, morte voici trois ans. Le duc Joachim lui ressemble trait pour trait.

Pas d'élève plus docile que ce jeune duc allemand. Il sait déjà beaucoup de choses. Toutes sont malheureusement sur le même plan. A la mort du grand-duc Frédéric-Auguste, si l'Etat de Lautenbourg devient terre d'Empire, je ne m'en étonnerai pas outre mesure.

Les gens qui n'ont jamais manqué de rien peuvent s'offusquer qu'une vie confortable en tous points suffise à rendre heureux. Je suis heureux. Je n'ai qu'à penser à mes cours. Deux ou trois manuels, inconnus ici, en font les frais.

Je suis heureux, vous dis-je. Un de ces jours, je déjeunerai chez le grand-duc. En attendant, j'ai dîné trois fois chez le colonel de Wendel. Sa femme m'a réellement pris en amitié. Je lui ai prêté quelques-uns des livres que j'avais apportés à destination de la grande-duchesse. C'est une aimable femme, et il vaut mieux être en bons termes avec le colonel.

Je déjeune généralement avec Cyrus Beck, Kessel et l'état-major. Le petit Hagen vient de temps en temps. Les autres rient sous cape en le voyant, ils disent que c'est le jour où la grande-duchesse lui a donné congé. Le soir, tout le monde s'éclipse : ces messieurs ont des relations en ville. Je reste seul avec le professeur, et parfois, pas toujours, le taciturne Kessel. La conversation est alors remplie des récriminations de Cyrus Beck. Son élève ne fait pas de progrès. Et puis, ce n'est pas son métier à lui. Ah! comme feu le grand-duc Rodolphe savait mieux comprendre le professeur. C'était un érudit. Il paraît que comme géographe il n'avait pas son pareil.

Kessel, finissant son marc, répond tranquillement :

« Un géographe qui ne connaissait pas le maniement d'une pièce de 77. »

Cyrus interroge avec dépit :

« Alors vous préférez le grand-duc actuel?

— Je n'ai pas connu Son Altesse le grand-duc Rodolphe, répond placidement Kessel. Je sais seulement que le rôle d'un grand-duc est d'être grand-duc, de connaître l'artillerie, la lourde et la légère, afin de permettre aux géographes de travailler en paix. »

Chose étrange, le professeur se plaint à Kessel, qu'il redoute visiblement, pas à moi, qui suis Français. Je vous dis que le loyalisme de ces gens est chose incommensurable.

Nous, nous ne sommes contents que lorsque nous avons figure d'opposants.

Dans la journée, j'éprouve le plus vif des plaisirs à me promener dans Lautenbourg. Les beaux uniformes allemands me ravissent; cette énorme discipline m'inquiète un peu. La musique du 182e joue deux fois par semaine sur la place royale, en face du théâtre. Je m'amuse à la gaucherie charmante des groupes de jeunes filles que je croise. Je me souviens, je vérifie la justesse de ce que le vieux général de cavalerie von Dewitz, disait à son aide de camp :

« Ce sont des jeunes filles qui ont de la race, mon cher ami, et l'on a vraiment de la joie à les regarder! Ce ne sont pas de ces demi-femmes factices, ce sont des mères! J'en réponds pour des générations entières! Regardez donc cette blonde qui passe là-bas! Voyez ces joues empourprées et cette démarche! Des pas d'un mètre vingt. Pour un vieux soldat comme moi, c'est un régal; je me délecte à les voir[1]. »

Moi aussi, je me délecte, je me réjouis, et devant

1. W. Meyer-Forster : *Le Baron de Heidenstamm.* Première partie, I.

cette absence complète d'insubordination, cette notion parfaite de ce à quoi elles sont destinées, je me rappelle le mot des officiers français de Sedan, ceux qui ayant signé le *revers* sont venus en captivité par ici : « Priez une Allemande de s'asseoir, elle se couchera! »

Le soir tombe, mauve et jaune; les brasseries s'allument à grand bruit. Une marchande de fleurs passe. Je dîne ce soir chez le colonel. Tiens, si j'apportais un bouquet de *Vergiss-mein-nicht* à Mme de Wendel?...

III

UN matin de décembre, j'étais en train de préparer ma leçon de l'après-midi, assis confortablement au coin de mon immense feu de bois. Il faisait un froid sec et clair. Aux vitres, le jeune soleil d'hiver fondait les buées nocturnes en gouttelettes opales.

On frappa à la porte.

« Entrez! »

Sur le seuil se tenait Otto, le chef du service intérieur, ancien sous-officier, tenant le milieu entre les fonctionnaires du palais et la kyrielle des valets, ouvriers, hommes de peine, qu'il faisait marcher militairement.

Son plastron blanc, sa grosse figure rouge se détachaient violemment sur l'obscurité du couloir. Derrière lui, deux hommes apparaissaient, vaguement porteurs d'un attirail bizarre.

« Que monsieur le professeur m'excuse. Peut-être vais-je déranger monsieur le professeur.

— Mais non, Otto, qu'y a-t-il? »

Il entra suivi des deux hommes. Ceux-ci avaient les bras encombrés de faisceaux de drapeaux.

« C'est demain la fête du 7e hussards de Lautenbourg, monsieur le professeur. Grande réjouissance pour la ville. Le palais est tout entier pavoisé, et je viens pour accommoder vos trois fenêtres. »

Je jetai un coup d'œil au-dehors. Sur le Kœnigsplatz, des hommes minuscules s'occupaient effectivement à disposer tout un matériel de fête : des poteaux, des faisceaux, des bannières.

« Faites donc, je vous en prie. »

Posément, ils procédèrent à leur installation. Trois énormes faisceaux, où l'étendard allemand tenait le milieu, entre le drapeau blanc et rouge de Wurtemberg et la bannière de Lautenbourg-Detmold, blanche et noire, au léopard d'or. Le tout était relié aux fenêtres voisines par de gigantesques guirlandes de moleskine verte, imitant les couronnes de distribution de prix.

Tout en surveillant le travail, Otto me donnait quelques détails sur la cérémonie du lendemain.

« C'est toujours une très grande fête, monsieur le professeur. Dès ce soir, le palais sera illuminé. Il y aura retraite aux flambeaux après l'arrivée de S. M. le roi de Wurtemberg et de Son Excellence le général Eichhorn, qui représente Sa Majesté l'Empereur.

— Il est d'usage que l'Empereur se fasse représenter à toutes les fêtes des régiments?

— Pas à toutes, monsieur le professeur. Mais le 7ᵉ hussards n'est pas un régiment comme les autres. Son étendard est décoré. Le prince Eitel y est capitaine. Et puis, surtout, c'est parce qu'il a pour colonel Son Altesse notre grande-duchesse, cousine de l'empereur. Alors vous comprenez...

— Je comprends que cela va être très beau, Otto et que vous devez avoir bien de l'ouvrage.

— Monsieur le professeur peut le dire. Mais c'est fini, allons, vous autres. Tous nos remerciements à monsieur le professeur pour son amabilité. »

J'étais d'autant plus heureux de la nouveauté qui allait me permettre de voir une de ces fastueuses parades allemandes que, vers onze heures, un laquais m'apporta un mot du major de Kessel.

Le gouverneur du prince m'avertissait que son élève devait passer, l'après-midi, avec le grand-duc, la revue préparatoire de la garnison; il me priait de vouloir bien, en conséquence, remettre ma leçon au surlendemain.

Au déjeuner, le docteur Cyrus Beck, plus hoffmanesque que jamais, descendit en retard et l'air très surexcité.

Je voulus avoir de lui quelques renseignements.

« Il s'agit bien de cela, répondit-il avec colère. Avez-vous lu ce pamphlet, monsieur? »

Il me tendait *La Peau de Chagrin*.

« Un pamphlet? dis-je, assez étonné.

— Oui, un pamphlet, une sottise. Il faut avoir toute la légèreté d'un Français pour traiter de certains sujets avec une pareille désinvolture. C'est la science elle-même qui est ridiculisée, ici, monsieur. Voilà : on passe sa vie à étudier deux ou trois questions, on casse des cornues, on se brûle la figure aux creusets, on risque mille fois de se faire sauter avec son laboratoire, tout cela pour qu'un coquin de romancier, en quelques mots d'un dédain qu'il juge définitif, vienne vous dire votre fait, vous tourner en risée devant le public.

— Je ne sais pas précisément à quel passage de *La Peau de Chagrin* va votre courroux, lui dis-je; et je n'aurais d'ailleurs pas la compétence voulue pour défendre Balzac sur ce point. Permettez-moi cependant de vous dire qu'il était généralement assez bien documenté. La partie historique de son œuvre est une source précieuse. J'ai entendu d'autre part un excellent avocat d'affaires dire que la faillite de César Birotteau, le transfert de titres Roguin sont, au point de vue juridique, des chefs-d'œuvre. Enfin...

— Monsieur, reprit-il de plus en plus furieux, ni le droit, ni l'histoire n'ont jamais prétendu être des sciences exactes. Un esprit faux comme votre Balzac y peut exceller. Mais la science, monsieur...

— Mon cher monsieur Beck, lui dis-je agacé, si *La Peau de Chagrin* vous produit cet effet, que direz-vous quand vous aurez lu *La Recherche de l'Absolu?* Il y a là un certain Balthazar Claës qui poursuit, lui aussi, le grand œuvre, avec un aussi vaste luxe d'expériences que vous; et, qui sait? pourtant, vous y trouverez peut-être des indications précieuses. »

Il ne savait pas très bien si je me moquais ou parlais sérieusement. Mais, prudemment, il inscrivit sur sa manchette le titre de l'ouvrage. Puis ses lèvres allèrent à la recherche de sa cuiller qui ne quittait pas la surface de son potage, à la mode allemande.

« Irez-vous demain à la revue? » lui demandai-je.

Je m'attendais à une nouvelle dénégation. Ma surprise fut grande lorsqu'il me répondit qu'il n'aurait garde de manquer cette cérémonie.

« Nous avons nos places réservées dans la tribune d'honneur, me dit-il avec orgueil, à côté du corps diplomatique. »

Ce savant casanier qui montrait une joie d'enfant à avoir sa place assignée officiellement dans une parade militaire me combla d'aise. « Combien ce bonhomme diffère de nos Bergerets antimilitaristes! » pensai-je, sans savoir, en définitive, laquelle des deux conceptions était la bonne.

Tout le palais était dans un branle-bas extraordinaire. Les officiers, déjà en grande tenue, s'evertuaient de tous côtés. Je croisai Kessel fort affairé : « Le roi arrive à neuf heures, me dit-il; allez à la gare. Ce sera curieux pour vous. En attendant, si vous voulez, vous pouvez assister à la revue que passe le grand-duc à trois heures sur l'esplanade. »

Je le remerciai, mais ne voulant pas déflorer le spectacle du lendemain et me trouvant vraiment trop bousculé et trop ridicule, seul encore, parmi ces gens en uniformes multicolores, j'allai m'enfermer dans la bibliothèque. Là, je me mis à jeter quelques notes relatives à la prochaine leçon que je devais donner au jeune duc, sur l'histoire de la philosophie alexandrine.

Quand j'en sortis, la nuit était venue; je décidai d'aller faire un tour dans la ville. Elle était déjà illuminée. Lorsque je fus au milieu de la place d'armes, je me retournai, et le château tout entier m'apparut, dans un embrasement. Le plaisir enfantin que produisent les feux de couleurs, les verres bigarrés, m'empêcha de remarquer que cette illumination ne péchait peut-être pas par excès de goût. Mais, que m'importait! Sans savoir pourquoi, j'étais heureux.

Au centre, l'aigle impérial, immense, en lampions jaunes, avait bien dix mètres de haut. A gauche, c'était le lion wurtembergeois, en rouge; à droite, le léopard lautenbourgeois, en vert. La difficulté qu'il y a à différencier par des lampions électriques ces animaux avait dû mettre à une rude épreuve l'artiste illuminateur. Mais enfin, on les distinguait assez bien.

Autour de moi, des groupes noirs, montait une rumeur admirative et confuse. Au fond de la place d'armes, la tribune d'honneur était déjà dressée pour la revue du lendemain.

La rue de Hanovre, la plus belle de Lautenbourg, était bondée de monde. Cette foule allait et venait sur les trottoirs, selon un mouvement de tiroir remarquablement ordonné. Soudain, les quartiers déconsignés y mêlèrent tout le luxe des uniformes. Les dolmans rouges des hussards de Lautenbourg alternaient avec les dolmans bleus des dragons de Detmold et les tuniques sombres des fantassins. Des étudiants, venus tout exprès de Hanovre, promenaient leurs casquettes différentes et leurs estafilades avec une arrogance qui tombait soudain lorsqu'ils croisaient un officier.

L'approche de la Noël surchargeait les devantures des magasins éclairés bruyamment d'une foule d'objets inattendus, naïfs à faire pleurer. Les rôtisseries étaient bourrées d'oies gracieusement décorées aux couleurs des vingt-sept Etats allemands. L'oie barrée de bleu de Rudolstadt voisinait avec l'oie rouge du Wurtemberg. Les charcuteries étalaient des pyramides de saucisses façonnées à l'image des monuments les plus illustres de l'empire : le Reichstag, la gare de Berlin, la cathédrale de Cologne. Mais le gros succès était pour un arc de triomphe en saindoux, avec bas-reliefs en gélatine rose et entablement de foie gras.

Des jeunes filles passaient, se tenant par les bras, en groupes de trois ou quatre, baissant des yeux soumis sous les regards dominateurs des officiers.

Je dînai à la taverne de Lohengrin, la plus grande, la plus dorée de Lautenbourg. Vous rappelez-vous les chevaux de bois de notre enfance? La partie où sont cachés la musique et le vieux cheval chassieux, rutilante de dorures, rien ne ressemble plus à une riche taverne allemande. Seuls, je pense, les fumeurs peuvent s'attabler là sans être incommodés. Les nuages de tabac qui vagabondent au plafond font penser à un Walhalla pantagruélique.

Huit heures sonnaient lorsque les : hoch! hoch! frénétiques poussés dans la rue amenèrent sur la porte tous les hôtes de la taverne; dans un flamboiement de sabres passait l'escadron de dragons qui devait, à la gare, rendre les honneurs au roi de Wurtemberg et au général von Eichhorn.

La foule était tellement considérable aux abords de la gare que je renonçai à trouver une place. Ce fut au coin de la Roonstrasse que je pus, dans un éclair, au milieu des dragons, apercevoir l'automobile où le grand-duc Frédéric-Auguste et le roi de Wurtemberg faisaient face à mon élève et au général von Eichhorn.

*

Le pasteur Silbermann au temple de la Siegstrasse, Mgr Kreppel à la cathédrale célébrèrent à huit heures les offices de leur culte respectif, auxquels furent conduits par détachements les soldats des confessions catholique et réformée. Puis, à dix heures, ce fut la revue.

Le temps favorisait le 7e hussards de Lautenbourg. Le soleil brillait, clair et froid. De la place, on voyait, sous la petite bise qui soufflait de l'ouest, les feuilles noires se détacher des arbres du château et tomber lentement dans la Melna.

J'ai dit que, de ma chambre, je ne voyais pas la place d'armes où allait se dérouler la revue. Mais, levé au jour, j'avais aperçu le 182e d'infanterie prussienne, dont deux compagnies devaient assurer le service d'ordre, traverser le Kœnigsplatz pour aller occuper ses emplacements. Le grand concours du peuple mettait à mon cœur la joie suffisante de ceux qui savent leur place gardée.

A sept heures, j'étais prêt, bien décidé cependant à n'arriver que beaucoup plus tard, au moins au moment où la tribune serait à moitié occupée. Je pris un livre quelconque, essayant de m'y intéresser, me rendant assez peu compte des raisons de l'énervement que je sentais croître en moi.

A neuf heures, la rumeur du dehors montant à ma chambre et l'emplissant, je crus pouvoir, sans ridicule, m'acheminer.

Comme je me sentis petit en traversant l'immense place, rendue encore plus vide par l'énorme foule qui se pressait tout autour, canalisée par un cordon d'infanterie, baïonnette au canon.

Les tribunes étaient aux trois quarts pleines lorsque j'arrivai. J'aurais assez malaisément découvert la place qui m'était assignée, si je n'avais vu, agité au bout d'un bras, un chapeau me faire signe : M. de Marçais.

« Je suis votre voisin, me dit l'aimable diplomate. Tant mieux. Nous causerons en attendant. »

Fier de m'éblouir, il me donna les noms des personnages de marque qui nous entouraient. Le ministre d'Autriche-Hongrie, le comte Bela, disparaissant sous un invraisemblable amoncellement de fourrures, avec un bonnet d'astrakan à aigrette d'argent. M. Nekludoff, ministre de Russie, en habit, très simple, Mgr Kreppel, avec sa lourde croix d'or sur sa ceinture violette. Le recteur Etlicher, de l'académie de Kiel.

Soudain, je lui pris le bras.

Une admirable jeune femme venait de s'installer juste devant nous, au premier rang de la tribune. Elle pouvait avoir vingt ou vingt-cinq ans. Brune, très mate de peau, d'allure lasse, elle portait un tailleur à grandes basques, bleu, bordé de skungs. Une de ses mains, inerte le long de son corps, était enfoncée dans un de ces gigantesques manchons plats comme on les faisait alors. Une toque de skungs encadrait ses lourds bandeaux noirs.

Elle aperçut Marçais qu'elle salua d'un geste langoureusement fatigué.

« Qui est-ce? murmurai-je.

— Comment, me répondit-il, ravi. Vous ne connaissez pas la demoiselle d'honneur, l'inséparable, la confidente de la grande-duchesse Aurore, Mlle Mélusine de Graffenfried? Eh, à quoi avez-vous donc employé votre temps depuis que vous êtes ici?

— Comme elle est belle! dis-je.

— Oui, bien belle! Vous n'êtes pas le premier à le trouver. Mais vous savez, mon cher, ajouta-t-il en me lançant un coup d'œil étrangement narquois, il n'y a rien à faire. Au reste, vous ne la verrez plus dès que la grande-duchesse sera là. En attendant, cela ne coûte rien, n'est-ce pas... »

Et joignant le geste à la parole, il touchait délicatement l'épaule de notre belle voisine :

« Mademoiselle de Graffenfried. Il y a des emplois qui sont bien mal tenus au château. Voici un de ses habitants qui ne vous a pas encore été présenté, et qui sollicite l'honneur de l'être. Mon compatriote, M. Raoul Vignerte, précepteur de Son Altesse le duc héritier. »

L'adorable fille se retourna, et, m'enveloppant d'un regard angélique qui, je ne sais pourquoi, me remplit de la plus bizarre confusion :

« Je vous remercie, mon cher comte, de me faire connaître M. Vignerte autrement que de réputation. Et vous, monsieur, laissez-moi espérer que nous nous reverrons sans qu'il soit besoin pour cela d'occasions aussi solennelles. Mais il paraît que vous travaillez beaucoup. »

Ce n'était pas la première fois que je constatais combien des imbéciles distingués ont plus d'à-propos que les gens réputés intelligents. M. de Marçais m'en donna une nouvelle preuve, en répliquant à ma place :

« C'est peut-être, chère amie, soit dit sans vous

offenser, qu'il est plus facile de pénétrer dans la bibliothèque du château que dans votre intimité. »

Les paupières de Mélusine battirent imperceptiblement.

« Il n'y a rien d'offensant dans vos paroles, au contraire, dit-elle en souriant, et M. Vignerte qui est un véritable érudit vous dira que les bibliothèques les plus précieuses sont celles où l'on est admis avec le plus de difficultés, n'est-ce pas, monsieur Beck », dit-elle en s'adressant au vieux savant, notre voisin, qui venait d'arriver et contemplait avec un intérêt étonnant la concentration des troupes aux deux extrémités de la place.

J'admirai l'art infini avec lequel elle faisait dévier une conversation qui menaçait de devenir scabreuse.

« Vous avez absolument raison, mademoiselle, s'empressa de répondre mon vieux collègue avec cette absolue naïveté des savants, M. Vignerte sait d'ailleurs que toute la bibliothèque est à sa disposition, manuscrits compris.

— Chut! dit Mlle de Graffenfried en se retournant, voici le roi. »

Un groupe de cavaliers venait d'apparaître en face de nous, de l'autre côté de la place, dans la cour du château.

Immédiatement des commandements brefs crépitèrent. Cavaliers et fantassins se raidirent au garde-à-vous. Avec un bruit de toile métallique qu'on déchire, les baïonnettes apparurent au bout des canons. Trois mille sabres surgirent, trois mille éclairs gris.

Trompettes et fifres attaquaient une marche lente, une espèce de sonnerie aux champs, aigre et stridente, bien en harmonie avec cette âpre matinée de décembre.

Quand elle cessa, l'énorme acclamation populaire

retentit, sourde et rauque, soutenue, comme une vague qui roule et ne se brise pas.

Le petit groupe de cavaliers s'avançait au pas dans l'immense place vide. Le roi de Wurtemberg, en uniforme de feld-maréchal, venait en tête, sur un cheval noir. A sa droite, le grand-duc Frédéric-Auguste, en uniforme de général, très simple. A la gauche du roi, le général von Eichhorn étalait tout le luxe du grand Etat-Major. Il avait près de lui le jeune duc héritier, très beau dans sa tunique bleue de lieutenant aux dragons de Detmold.

Derrière eux, c'était un scintillement des plus brillants uniformes de l'armée allemande; un gigantesque officier de cuirassiers blancs; un officier d'artillerie de la garde, noir et or avec les parements amarante; des hussards gris; un uhlan vert.

« Et la grande-duchesse? murmurai-je à Marçais.

— Comment? et vous êtes officier de réserve, mon cher! Où est, je vous en prie, la place d'un colonel dans une revue? A la tête de son régiment. Tenez, regardez le colonel von Mudra au 182ᵉ. C'est par son régiment que commence la revue. Le voilà qui vient au-devant de l'état-major. Il rentrera dans le rang quand son unité aura été inspectée. »

Au galop de chasse, le peloton royal passait entre les compagnies du régiment brusquement espacées. Les étendards blancs écartelés de noir s'inclinaient au passage. Puis, un nouvel ordre. Le régiment se resserra. C'était le tour des dragons de Detmold.

Mince et raide, ayant très grand air sous l'habit bleu aux buffleteries blanches, la tête fine dans le casque noir à pointe et à aigle d'argent, le colonel von Becker vint au-devant du roi qu'il salua largement du sabre, en lui présentant son magnifique régiment, planté superbement sur d'énormes chevaux rigides.

Cette masse immobile donnait une telle impression de puissance, de force, que je serrai anxieusement la main de Marçais.

« Hum, murmurai-je, nos cuirassiers et nos spahis auront de l'ouvrage, si ça vient jamais. »

Un ordre, répété par les commandants majors, les capitaines, les lieutenants de pelotons, et la terre trembla sous le trot du 11e dragons de Detmold qui s'en allait, vers la droite, derrière le 182e d'infanterie, occuper sa place pour le défilé.

Ce fut au tour de Marçais de me serrer le bras.

« Regardez », me dit-il.

Devant nous, au premier banc, Mlle Mélusine de Graffenfried, accoudée à la balustrade, souriait.

Sur la place, au-devant du roi, deux cavaliers s'avançaient.

L'un était le petit Hagen; guindé, un peu pâle, il guidait son cheval à huit ou dix pas en arrière du colonel des hussards de Lautenbourg.

Je ne pouvais, à vrai dire, distinguer nettement les traits de la grande-duchesse Aurore. Je ne voyais encore que sa mince silhouette. Elle allait, au pas d'un petit cheval magnifiquement caparaçonné. Elle portait avec l'amazone, le dolman des hussards de Detmold, rouge à brandebourgs jonquille. Le colback noir, à flamme jonquille, dressait sur sa tête une longue aigrette d'or.

Du sabre, elle aussi salua le roi de Wurtemberg. Celui-ci poussa en avant son cheval et, s'inclinant devant la grande-duchesse, lui baisa la main.

Une immense acclamation partit de la foule : Hoch pour la grande-duchesse. Hoch pour le roi. Hoch pour le kaiser.

Marçais toucha discrètement du doigt la fourrure de Mélusine.

« La grande-duchesse me paraît bien calme aujourd'hui comme écuyère, lui dit-il.

— Y pensez-vous, répondit la jeune fille, haussant les épaules sans retourner la tête. Elle a fait verser deux bouteilles d'*extra-dry* dans l'avoine de Tarass-Boulba. C'est vous dire.

— Tarass-Boulba. C'est son cheval? demandai-je.

— Oui, un sacré petit barbe, vous le voyez, poilu comme une descente de lit. Elle a ramené ça des marais de la Volga. Laid, méchant, têtu. Toujours est-il qu'il n'y a qu'elle qui peut le monter. Il menace d'enlever la figure aux palefreniers. Elle, elle en fait ce qu'elle veut.

— Taisez-vous, dit Mélusine, regardez. »

Les hussards venaient, au grand trot, de se ranger derrière les dragons, rangés eux-mêmes derrière l'infanterie.

Nous tournant le dos, le roi de Wurtemberg et le général von Eichhorn, adossés à l'estrade, faisaient face au grand-duc Frédéric-Auguste et au duc Joachim qui, à l'autre bout de l'esplanade, leur présentaient les troupes qui défilaient.

Je n'ai aucun parti pris en faveur du pas de parade prussien. Mais je vous jure que, si l'on peut s'en moquer en France, il s'harmonise parfaitement avec l'ambiance allemande.

Par lignes de colonnes de compagnie, le 182ᵉ défila. On eût entendu une mouche voler.

Au galop, les six batteries d'artillerie de 77 suivirent. Sur les casques noirs, les boules de cuivre étincelaient.

Puis, gardant par peloton un alignement impeccable, les dragons de Detmold s'avancèrent, suivis, à deux cents mètres, par les hussards de Lautenbourg.

La grande-duchesse chevauchait entre les deux régiments. Le petit Hagen, plus roide que jamais, paraissait aux anges. Une sourde haine me monta au cœur contre ce lieutenant.

Le défilé était fini. Tandis que le grand-duc Frédéric-Auguste et le duc Joachim venaient rejoindre le roi de Wurtemberg et le général von Eichhorn devant la tribune, les deux régiments de cavalerie se massaient, à la place que les princes venaient de quitter, pour la charge finale.

« Attention, me dit Marçais, vous allez voir la manière cosaque. »

A droite, un régiment bleu, à gauche, un régiment rouge, plus petit. Devant, à vingt pas, deux cavaliers, presque côte à côte.

Le gros cheval bai du colonel von Becker s'ébrouait. Tarass-Boulba, ramassé rageusement, était immobile.

Accoudée, Mélusine de Graffenfried regardait d'un œil à la fois fixe et vague.

Deux sabres se dressèrent; alors, dans une clameur immense, le flot déferla.

Maintenant, un seul cheval était en tête, Tarass-Boulba. Combien cela dura-t-il? Peut-être dix secondes, et soudain ce fut l'arrêt brusque devant la tribune de trois mille chevaux, de trois mille cavaliers. Des hurlements, des crépitements de sabots. Le sol parut s'effondrer.

Jamais je n'oublierai ce spectacle. A droite, von Becker, en arrière sur sa selle, son cheval arc-bouté des quatre fers, saluait de l'épée les princes.

A gauche, dressé sur les deux pieds arrière, Tarass-Boulba.

A cinq mètres, peut-être six, je voyais la grande-duchesse sur son cheval cabré; son visage pâle ne devait à cette course incroyable aucune rougeur. Son énorme colback noir cachait entièrement ses cheveux.

Ses yeux verts resplendissaient. Espèce de Murat androgyne, elle tenait au-dessus d'elle son sabre levé.

Elle nous souriait.

En même temps un cri d'admiration sortit de trois poitrines. Mélusine de Graffenfried, Marçais et moi, nous eûmes la gloire de déchaîner l'immense acclamation.

Alors Tarass-Boulba retomba sur ses deux pieds de devant. D'une main, Aurore de Lautenbourg flattait son cou embroussaillé, tandis qu'elle tendait l'autre au roi Albert, qui la baisa de nouveau.

*

Un carton, remis par Ludwig lorsque je rentrai chez moi, me faisait savoir que j'étais invité au dîner qui aurait lieu à huit heures, dans la galerie des glaces, en l'honneur de S. M. le roi de Wurtemberg et de S. E. le général von Eichhorn. Place 23, troisième table.

Je passai l'après-midi dans ma chambre, en tête-à-tête avec un vague trésor, ouvrant des livres que je ne pouvais lire.

A sept heures, je descendis dans le parc. Deux heures auparavant, j'avais entendu des cors, lointains d'abord, venir expirer dans le ravin de la Melna. C'est là qu'avait pris fin la chasse conduite par le roi et la grande-duchesse.

Le palais était rayonnant de lumières. A travers les larges fenêtres, je voyais les immenses tables, croulantes sous les fleurs et les cristaux.

La plupart des hauts fonctionnaires, tous les officiers de Lautenbourg étaient invités. Trois cents couverts se répartissaient en douze tables.

J'étais entre un commandant de dragons et la

femme d'un conseiller de la cour. Ils ne m'adressèrent pas un mot durant tout le repas.

La musique du 182e jouait, entre les services, dans la salle de la Diète.

Je ne voyais ni la grande-duchesse, ni le roi, ni les ducs, la première table m'étant cachée par les fleurs.

Dans le brouhaha des toasts et du champagne, je m'éclipsai et gagnai la salle de la diète, puis la salle d'honneur : de là, j'aurais le spectacle de l'entrée des souverains.

Une voix chantante me tira des réflexions où je m'abîmais.

« Eh bien, monsieur Vignerte, pourquoi cet isolement? »

J'étais seul dans l'immense salle avec Mlle de Graffenfried.

« Mais vous-même, mademoiselle?

— Oh! moi : c'est différent, la grande-duchesse m'a priée de faire un tour ici avant les autres. Les valets sont si bêtes. Elle tient à ce que ses fleurs soient bien arrangées. »

Je regardai l'admirable décoration de fleurs qui nous entourait. Des iris violets et des roses jaunes, mais énormes, mais plus beaux qu'on n'en verra jamais.

« Ce sont des fleurs de chez elle, des iris de la Volga et des roses du Daghestan. C'est un véritable wagon qui les apporte tous les mois. Elle dit que les fleurs d'ici sont insignifiantes », m'expliqua Mélusine.

« N'est-ce pas que celles-ci sont belles? » dit-elle en respirant une touffe de roses.

« Elle est bien belle aussi! » murmurai-je sans savoir ce que je disais.

Mon interlocutrice me regarda en souriant.

Mlle Mélusine de Graffenfried était vêtue d'une robe

de satin ivoire, recouverte d'une tunique de tulle brodée de perles irisées. Pas de bijoux, seulement, à son cou mat, un collier de perles roses.

Elle souriait toujours, dans une espèce de langueur de tout son être nonchalant et parfumé.

« N'est-ce pas? » murmura-t-elle seulement.

Et avec une ironie subite :

« Et vous êtes venu penser à elle au milieu de ses fleurs? Je le lui dirai tout à l'heure.

— Mademoiselle, je vous en prie...

— Non, non! je veux que vous la connaissiez, que vous veniez nous voir. Nous nous ennuyons, vous savez. Rien que le petit Hagen. Il n'est pas toujours drôle.

— Il l'aime, n'est-ce pas? » dis-je en me rapprochant l'elle.

Mélusine éclata de rire :

« Il est assez ennuyeux pour cela.

— Et elle?

— Monsieur Vignerte, dit Mélusine en riant plus fort, vous passez d'un extrême à l'autre, du plus grand effacement à la plus grande indiscrétion. Savez-vous que vous n'êtes, en tout cas, pas très galant pour moi avec vos questions? »

Elle se pencha. J'eus tout contre moi sa belle gorge; ses cheveux noirs m'effleurèrent la joue.

« N'est-ce pas, me dit-elle tout bas, que vous me trouviez bien plus jolie, ce matin, avant de l'avoir vue, elle? »

Elle m'avait pris le bras, et, presque impérieusement :

« Eh bien, regardez-la maintenant! »

Au milieu d'un cliquetis de sabres, d'éperons, le cortège entrait dans la salle d'honneur où mille lampes électriques venaient de s'allumer à la fois.

*

Les réceptions des cours allemandes ont l'incomparable éclat que donnent les splendides uniformes de l'Empire. A mes yeux éblouis s'étalait la prodigieuse gamme des dolmans bleus, rouges, noirs rehaussés de fourrure, scintillants d'or.

La haie des hussards de Lautenbourg présentait les sabres.

Devant, donnant le bras au roi de Wurtemberg, la grande-duchesse Aurore s'avançait.

Un enroulement de velours vert Metternich laissait nue toute l'épaule gauche, dans un décolleté extraordinairement risqué. Je voyais serpenter derrière elle sa longue traîne brodée de fines arabesques d'argent. Elle avait à la main droite un solitaire retenu par un cercle de platine, à la gauche une émeraude sertie de brillants.

Le matin, je n'avais pas vu ses cheveux. Elle m'apparaissait maintenant, cette frondaison blond fauve, foulée en torsade autour de la tête, l'engainant dans une espèce de calotte d'or, sur laquelle un étrange et barbare diadème d'émeraude arrondissait son demi-cercle.

Une seconde ses yeux rencontrèrent les miens. Je crus comprendre que ce qu'elle y lut ne lui déplut pas. J'étais probablement le seul de cette assistance, abrutie par l'étiquette, à oser, sans le savoir, contempler ainsi cette femme.

Vous rappelez-vous, mon cher ami, la *Fée aux griffons* de Gustave Moreau? Vous rappelez-vous cet être ambigu, dans ce paysage céruléen, moins profond que les prunelles vertes d'Aurore de Lautenbourg? Il vous donnera une idée approchée de la grande-duchesse. Même indéfini, même mystère angoissant des formes, Mélusine, si affinée, si inquiétante cependant, paraît presque grossière à côté de cette Titania.

Ce que la toile de Moreau ne vous expliquera pas, c'est le mélange enfantin et décidé qui est toute l'allure de cette princesse. Sorte de créole boréale, à la fois langoureuse et brusque, elle a l'éclat dur et la mollesse de la neige au soleil. La hanche que l'on devine un peu pointue est assez haute. On sent que, si elle consentait à l'emprisonner, sa taille serait extraordinairement fine. Mais la gaine de velours garde toute la souplesse que donne le contact immédiat de la chair. De la frénésie vous prend à l'idée que, hors de ce fourreau, ce corps va surgir comme un lis froid et pur.

Au milieu de tous ces visages où les vins ont posé les marbrures des congestions commençantes, cette pâle statue à moitié nue demeure miraculeusement nette et blanche.

Ses lèvres sont fardées, ses yeux sont cernés, à vrai dire, ses ongles sont bien roses. Mais comme on sent qu'elle s'est amusée à ces procédés par lesquels les autres s'efforcent de créer leur beauté. On voit la sienne sourire d'y avoir eu recours. Elle ne les emploie que pour mieux prouver qu'ils ne sauraient lui être indispensables.

Sourire... celui qui erre sur sa pâle figure est tout de convention. Prisonnière de l'étiquette, elle s'est composé un visage de circonstance. Qui l'observe le devine d'autant mieux que par moments une expression aussitôt morte que née dérange cette belle ordonnance grave et voulue. Cette expression doit mêler autant de sentiments que le prisme a de couleurs. Si je connais un jour mieux Son Altesse, j'arriverai peut-être à les analyser. En attendant, j'ai discerné dans cet éclair deux tonalités indiscutables, l'ironie et l'ennui.

Cette femme molle et lassée, est-ce bien la fantastique amazone de ce matin? Je la préférais ainsi. Il me déplaît que cette épaule soit si nue. Je voudrais la recouvrir de la lourde pelisse d'hermine. Ils sont une douzaine autour d'elle. Oh! je sais bien que c'est leur souveraine, et que leurs yeux ont devant elle presque la rigidité du garde-à-vous. Mais s'ils ne se croyaient pas vus, comme ils se départiraient de cette réserve.

Et qu'est-ce que c'est précisément que ce petit hussard rouge qui, là-bas, caché par une gerbe de fleurs, laisse traîner sur la belle épaule un regard effroyablement goulu?... Va-t'en, rustre. Retourne à tes lourdes et dociles Allemandes, qui ont des bras boudinés et des tailles en forme de diabolos. Celle-ci n'est pas de ta race. Ce n'est pas pour toi, vilain!

Je te déteste, et je t'envie. J'envie ton dolman ponceau, tes fourragères jonquille, tout l'or dont tu rutiles, ton grade de lieutenant au 7e hussards, qui, à défaut d'un autre, crée un lien hiérarchique entre toi et ton angoissant colonel. Je pourrais alors m'approcher d'elle, et lui débiter, comme ils le font maintenant, des compliments sur la charge de ce matin.

Le visage presque enfoui dans le bouquet d'iris qu'elle porte vers ses narines, elle remercie faiblement ses officiers qui la félicitent.

« Mais non. Vous exagérez. Tout le mérite revient à Tarass-Boulba. C'est moi qui vous admire de pouvoir le suivre avec vos montures. A côté de lui, les chevaux d'ici sont des chevaux de brasseurs. »

Est-ce une illusion, mais il ne me semble pas possible qu'elle ne puisse, si elle le voulait bien, parler allemand avec moins d'accent étranger.

A gauche, dans un bosquet de verdure, la musique du 182e commence une valse. Le bal s'ébauche.

« Nous usurpons la place des danseurs, messieurs.

Allez retrouver vos danseuses qui doivent m'en vouloir. Comte, menez-moi à ma place », dit-elle en prenant le bras du général von Eichhorn.

Ils tournent, ces Allemands et ces Allemandes, avec une gravité, avec une componction recueillie. Le cliquetis des éperons résonne. Les belles couleurs de l'Empire s'emmêlent sous les lustres en un étincelant kaléidoscope.

« Monsieur Vignerte, vous ne valsez pas!

— C'est que, mademoiselle, je sais assez mal; puis, comme c'est pauvre et ridicule, un habit, au milieu de tous ces uniformes.

— Ce n'est pas une raison, rétorque Mélusine. Tenez, je vois là-bas cette bonne Mme de Wendel qui s'accommoderait fort bien de votre habit. Allez donc l'inviter.

— Danser pour danser, je préférerais que ce fût avec vous.

— Moi, je n'ai pas le temps. Il faut que je surveille, que je case les pauvres jeunes filles dépourvues et les danseurs timides. Prenez mon bras, vous m'accompagnerez. »

Cette jolie femme que je sens contre moi me donne l'assurance qui me manquait.

« Mademoiselle de Graffenfried! Monsieur Vignerte! »

La voix de Marçais.

Suprême d'élégance, il est assis auprès de la grande-duchesse. Ciel! il me fait signe d'approcher.

« On ne pourra donc jamais vous atteindre? me dit-il en riant. Arrivez, monsieur. »

Il me présente à la grande-duchesse.

« C'est un peu pour vous, madame, que j'ai ramené M. Vignerte. Mais vous semblez peu pressée de vous servir des cadeaux qu'on vous fait. »

Elle répond avec nonchalance :

« Moi! mais je ne demande qu'à connaître M. Vignerte. Il paraît qu'il est charmant. Excusez-moi, monsieur, si je dis : il paraît; je n'ai pu m'en rendre compte encore par moi-même. Vous travaillez beaucoup, me dit-on? »

La même phrase que m'a jetée Mélusine. Ignominie! Te traînerai-je toujours après moi, robe des cuistres? Serai-je toujours celui qui travaille beaucoup, moi dont les nuits se passent à rêver de choses dont personne ne soupçonnera jamais l'immense volupté?

Je vais répondre. Je sens que je vais lui dire, à cette méprisante, quelque chose de définitif. Mais elle se lève.

« Excusez-moi! Il faut pourtant que je danse au moins une fois!

— Monsieur de Hagen », appelle-t-elle.

Il est là, le petit hussard rouge. Il s'avance, à la fois humble et ravi. Oh! je sais qu'un jour viendra où je le soufflèterai.

Dans la salle, il s'est fait un vide! La valse de la grande-duchesse Aurore est comme un maelström. Il semble qu'on redoute d'être attiré dans son orbe. Les danseurs laissent la place libre.

Ils valsent. C'est d'abord la valse lente allemande, à trois temps. Puis la mesure s'accélère. Il n'y a plus que deux temps. Ce n'est même plus le boston, c'est un tournoiement éperdu et harmonique. L'assistance murmure d'admiration. Le grand-duc Frédéric-Auguste regarde le beau tourbillon avec un sourire qui est presque un sourire d'orgueil.

Ce n'est plus Hagen, si svelte et agile pourtant, qui mène la course ronde. C'est le grand corps vert et blanc. Nonchalante toujours, elle tourne, tourne, tourne.

Hagen se laisse entraîner. Une ineffable joie colore sa face d'adolescent blond. Il s'abandonne à sa souveraine. Rouge, vert, rouge, vert, puis tout se brouille. La couleur complémentaire apparaît. Ils tournent, tournent, tournent...

En France, on aurait applaudi.

Elle regagne sa place, toujours aussi liliale et lasse. Dans un mouvement qu'elle fait pour remonter l'épaulette droite de sa robe, son beau bouquet d'iris mauves, qu'elle n'a pas quitté, tombe à terre. Je me précipite, je le ramasse.

« Merci, monsieur », dit-elle négligemment.

Puis, volontairement, cette fois, elle laisse retomber les fleurs.

« Mon Dieu! Elles sont déjà toutes fanées. »

.. ..

Je suis rentré dans ma chambre. J'ai ouvert la fenêtre et, accoudé, les yeux aux étoiles froides, je crois que j'ai pleuré.

J'ai compris. Elle m'est irrémédiablement hostile. Qu'y a-t-il? Qu'ai-je fait? Je ne sais pas.

Et j'ai le mot des pauvres diables : Travaillons.

De vagues musiques me viennent encore. Sur le Kœnigsplatz, des limousines passent, avec des phares violents. Ceux qui sont dedans sont heureux. Ils l'ont vue depuis que je l'ai vue.

Travaillons...

IV

Eh bien, Raoul Vignerte! A quoi prétends-tu donc? Quelle aberration est la tienne! Quoi! il y a quelques semaines, tu étais soucieux le matin de ta nourriture du soir. Tu ne supposais pas de plus grand bonheur que d'être assuré de celle du lendemain. Te voilà maintenant certain d'elle, et de celle de dans un mois, et de celle de toujours même. Tu n'as qu'à te donner au travail. Le travail, la seule chose que l'on ne regrette jamais. Et tu n'es pas heureux, pourtant! Que dis-je, heureux, tu souffres. Plus que quand tu arrivais à la gare d'Orsay, tâtant dans ta poche si tu avais pour le pourboire du porteur de malle assez de sous sans démonétiser la pièce qui filera ensuite trop vite, tu souffres. De quoi? De ta maudite imagination. Ne sens-tu pas désormais que le sort pourrait t'offrir vainement les femmes de Paris, les trésors d'Iranie, sans satisfaire le rêve composé des nuées que tu portes en toi? Elle, cette femme, la grande-duchesse? Pauvre idiot! Tu te disais classique. Tu parlais en ricanant du théâtre romantique, et te voilà disposé, du moment que c'est pour ton compte, à trouver naturelle l'aventure de Ruy Blas, laquais de monseigneur le marquis de Finlas. Est-ce toi qui faisais tes dieux de Le Play et d'Auguste Comte? Tiens, tu m'amuses! La reine de ton rêve, elle est moins pour toi que pour le petit hussard rouge, qui a l'habitude de l'oisiveté, du grade et du blason...

Et je me suis mis à travailler et, peu à peu, il est vrai que la poussière de la bibliothèque a feutré mon envie, ma haine, mon chagrin.

Je ne mettrai jamais les pieds dans l'aile gauche du palais. J'ai plaisir à penser qu'elle s'y ennuie, avec sa Mélusine. Je ne suis pas fait pour vivre ici, moi.

De mon séjour à Lautenbourg, je prendrai tout ce que j'ai intérêt à prendre, posément.

Dans deux ans, j'aurai cinq à six mille francs d'économies, la matière de trois ou quatre livres, et je rentrerai à Paris, et avec ma méthode, et avec le souvenir de ce qui m'a manqué, Paris sera à moi. Et Paris vaut mieux que cette méprisante barbare.

M. Thierry m'avait fourni un admirable plan de travail, je m'en rendais mieux compte à mesure que je fouillais dans la bibliothèque. L'histoire des dynasties tudesques parallèles à Louis XIV paraphrase à merveille la sienne, en en faisant mieux ressortir l'aborigène beauté.

Copier le roi de France, tel était l'unique souci de ces princes allemands de la fin du XVIIe siècle. S'attacher les artistes ou les élèves des artistes qui avaient travaillé pour lui fut un moyen dont ils usèrent le plus communément.

Mais, tandis que chaque seigneur français mettait un point d'honneur à posséder exclusivement un artiste, à le faire travailler pour lui seul; c'est chose amusante de voir les Allemands réaliser des sortes de sociétés pour commanditer plus économiquement tel peintre, tel sculpteur, tel jardinier. Ils rappellent ces humbles ménages parisiens qui s'associent pour acheter aux Halles un sac de légume ou un agneau.

J'ai retrouvé dans les archives la plupart des devis des peintres et architectes français qui travaillèrent non seulement pour les ducs de Lautenbourg et de Detmold, mais aussi pour ceux de Lünebourg-Celle et pour les électeurs de Hanovre. Ernout a sculpté la plupart des groupes en marbre des jardins. Gourvil, élève de La Quintinie, les a dessinés. Lesigne, élève de Lebrun, a été chargé de l'exécution des panneaux. Un Catalan, Giroud, a assumé les travaux de serrurerie et de ferronnerie. Zeyer, peintre en laque, professeur de la princesse Sophie-Dorothée, a orné de charmants motifs les portes de l'*Herrenhausen* de Hanovre et du palais de Lautenbourg.

Leurs comptes sont discutés avec âpreté par les intendants des princes. Souvent ces derniers eux-mêmes n'ont pas dédaigné d'appuyer autographiquement des demandes en réduction. J'ai parcouru avec curiosité un énorme mémoire de Giroud, produit par cet artiste devant le présidial de Hanovre, pour justifier, en 1690. le chiffre de la facture à laquelle il faisait monter la pose, à l'*Herrenhausen,* d'un certain nombre de serrures à secret. Le duc Ernest-Auguste, le futur électeur, fut débouté de sa demande en réduction. Il y avait, à cette date du moins, des juges à Hanovre.

J'étais décidé en principe à borner mes recherches à l'influence française sur les cours allemandes du XVIIe siècle. J'avais devant moi une mine de documents suffisants à satisfaire complètement M. Thierry, et à me fournir à moi-même les éléments d'un livre. C'est à ce Zeyer, peintre en laque, professeur de la princesse Sophie-Dorothée. que je dois d'avoir élargi mon dessein primitif. Je découvris, mêlées à ses comptes, les minutes de son témoignage devant la commission d'enquête qui jugea l'infortunée souveraine du Hanovre. Il porte ainsi la responsabilité des événements qui vont suivre.

Vignerte s'arrêta, réfléchit un moment, et me posa cette question inattendue :

« Connaissez-vous la dramatique histoire du comte Philippe-Christophe de Kœnigsmark? »

En réponse, je lui récitai ces deux strophes :

Comte de Kœnigsmark, amoureux d'une reine,
Puis son amant, ainsi du moins dit la rumeur,
Dans la chambre royale où brûlaient des verveines,
A l'heure où le jour naît, à l'heure où le jour meurt.

Qui pourra dire toutes les folles pensées
Qu'elle se plaisait tant à dérouler pour vous,
Celle qui mêlait les jacinthes aux pensées,
Dans la masse de ses cheveux d'or un peu roux?

« L'auteur de ces vers, dit Vignerte, avait lu le livre de Blaze de Bury. C'est le seul livre français convenable sur ce drame. Vous le rappelez-vous?

— J'avoue, dis-je, que bien des détails m'en sont sortis de l'esprit.

— Eh bien, il faut que je vous précise cette histoire. Elle ne vous expliquera pas mon aventure, à moi. Elle vous la rendra plus étrange encore. »

Vous vous rappelez certainement quelle était la situation de l'Etat de Hanovre en 1680. Il avait à sa tête un homme aussi débauché que profond politique, Ernest-Auguste, successivement évêque d'Osnabrück. duc, puis électeur de Hanovre.

Son frère, Georges-Guillaume, était duc de Brunswick-Lünebourg.

Ernest-Auguste avait un fils, Georges; Georges-Guillaume une fille. Sophie-Dorothée.

L'ambition d'Ernest-Auguste portait sur deux points.

D'abord : réunion à sa famille des Etats de son frère. Il n'y avait qu'un moyen : marier Georges à Sophie-Dorothée. Le mariage eut lieu en 1682. La duchesse de Brunswick-Lünebourg n'avait que seize ans.

L'autre ambition d'Ernest-Auguste était plus haute : c'était la couronne d'Angleterre. La fortune travailla pour lui : successivement les douze enfants de la reine Anne furent moissonnés par la mort. Si Ernest-Auguste ne vit pas le triomphe de sa politique — il mourut en 1698 — son fils Georges en recueillit les fruits. En 1714, à la mort de la reine Anne, il montait sur le trône de Grande-Bretagne sous le nom de George Ier. Il y montait seul : dix-huit ans plus tôt, à la suite d'une infâme machination, il s'était séparé de sa femme, et lorsque son époux ceignait la couronne d'Angleterre, l'infortunée Sophie-Dorothée achevait ses jours dans le château de Ahlde, moins palais que prison.

Excusez-moi de dessécher ainsi ces faits : l'essentiel est d'être clair.

L'histoire du divorce de Sophie-Dorothée, c'est l'histoire du meurtre du comte Philippe-Christophe de Kœnigsmark.

Appartenant à une des plus nobles familles suédoises, ami du prince électeur de Saxe, aussi brun et beau que Sophie-Dorothée était belle et blonde, le comte Philippe et la duchesse de Brunswick-Lünebourg s'étaient dans leur enfance connus à Celle et naïvement fiancés. La vie les avait séparés. Philippe était parti mener à la cour de Jacques II, à celle de Louis XIV, à Dresde, à Venise, son existence aventureuse de beau condottiere suédois.

Le mariage de Sophie-Dorothée réveilla-t-il son ancien amour, blessa-t-il sa vanité? Toujours est-il qu'un beau matin, Hanovre vit arriver le comte Philippe de Kœnigsmark.

La cour de l'électeur était un lieu de débauches, un fumier sur lequel se fanait lentement ce beau lis qu'était Sophie-Dorothée.

Trompée par un mari qu'elle avait toujours méprisé, contrainte de faire bonne mine à cette terrible comtesse de Platen, l'abjecte favorite d'Ernest-Auguste, elle vivait de son mieux dans la solitude, occupée uniquement de l'éducation de ses deux enfants, un fils qui devait être roi d'Angleterre, une fille qui sera reine de Prusse.

Mais voici Kœnigsmark qui arrive à Hanovre, et le drame commence.

Le comte Philippe est venu pour se venger, pour reconquérir le cœur de Sophie-Dorothée. Mais avant même qu'il puisse la voir, la comtesse de Platen s'éprend de lui. Il juge politique de ne pas froisser la toute-puissante favorite. Mais il faut aller très loin pour ne pas froisser cette femme, Messaline et Lady Macbeth réunies. Le comte Philippe va aussi loin que possible : compromise, elle sera en son pouvoir. C'est lui qui est entre ses mains.

Alors commence la belle idyllle de Philippe de Kœnigsmark et de Sophie-Dorothée. Le sombre palais de l'*Herrenhausen* est témoin de leurs éphémères amours. Sophie-Dorothée a cru d'abord que le beau comte n'était venu à Hanovre que pour y voir malheureuse et délaissée celle qui a été contrainte par la volonté paternelle d'en épouser un autre. La liaison presque publique de Philippe avec la comtesse de Platen ajoute à son martyre. Mais, un matin, se rendant avec sa dame de compagnie au bosquet du parc de l'*Herrenhausen* où elle a coutume de s'asseoir chaque jour, elle aperçoit le comte s'en échapper. Un rouleau de papier est resté sur le banc, avec ces vers à la manière de Benserade :

Que j'étais autrefois un volage berger!
A tout moment sur la fougère
J'allais de bergère en bergère
Me faire un plaisir de changer;
Mais, depuis que j'ai vu la charmante Sylvie,
Contraint de l'aimer constamment,
Par un extrême changement
Je ne veux changer de ma vie.

Sophie-Dorothée a-t-elle été la maîtresse de Kœnigsmark? Même après la lecture de leur correspondance dans les archives de la Gardie, j'en doute encore. Ce que je reconnais, c'est qu'il était impossible d'en douter dans une cour aussi corrompue que celle de Hanovre, où l'on savait que la femme du duc héritier recevait chaque nuit dans son appartement le bel aventurier suédois.

La vindicative comtesse de Platen apprit la dernière qu'elle était la risée de tout le château. Mais ce jour-là, la perte du comte et de la duchesse fut décidée.

Le samedi soir 1er juillet 1694, Kœnigsmark, rentrant chez lui, trouva sur la table un billet contenant ces simples mots tracés à la hâte au crayon :

« Ce soir, après dix heures, la princesse Sophie-Dorothée attendra le comte de Kœnigsmark. »

Ce billet, ce faux, imitant l'écriture de Sophie-Dorothée était l'œuvre de la comtesse de Platen.

Insouciant et brave comme Bussy d'Amboise, Kœnigsmark se rendit chez la princesse. A deux heures du matin, il la quittait.

Le lendemain, dans la matinée, Sophie-Dorothée vit de son balcon deux hommes, aux allures inquiètes, qui erraient dans le parc. C'étaient les serviteurs du comte Philippe qui cherchaient leur maître. Ni eux, ni personne ne devaient plus le revoir.

Voilà la tragédie, mon ami. Voici le dénouement, et c'est le divorce de Sophie-Dorothée. Cette jeune femme de vingt-huit ans a affaire à un monde d'ennemis. Elle veut quitter son mari qui lui fait horreur. Elle se heurte à la malédiction de son père; le vieux duc Georges-Guillaume a imposé à sa fille un mariage de raison d'Etat. Une amourette malheureuse ne doit pas briser de beaux calculs au bout desquels il y a peut-être le trône d'Angleterre. L'infortunée ne veut rien entendre. Elle est dangereuse d'ailleurs : le comte suédois avait des relations. Finalement, après le procès le plus avilissant pour elle, le divorce est prononcé contre elle. Ses enfants lui sont retirés. La femme du roi d'Angleterre, redevenue simple duchesse, mourra en 1726, prisonnière dans son château de Ahlde. Alors seulement, la malédiction paternelle fléchira. Le caveau du château où elle est née s'ouvrira devant son cadavre. Il est, au donjon de Celle, dans le recoin le plus obscur de la crypte, un humble cercueil sans inscription. C'est le cercueil qui contient les restes de Sophie-Dorothée, femme de l'électeur Georges-Louis de Hanovre, roi d'Angleterre sous le nom de George Ier.

Je vous ai résumé, aussi brièvement que possible, l'histoire de Philippe de Kœnigsmark et de Sophie-Dorothée. Inutile de vous dire que bien des points de ce drame demeurent dans l'ombre. L'assassinat du comte est certainement l'épisode dont les détails sont les plus mal connus. Les témoignages concordent sur le fait que c'est la comtesse de Platen qui prépara le guet-apens où il périt. Dix sbires le percèrent de leurs épées. L'horrible comtesse lui porta le dernier coup. Mais que devint le corps? Ici, le mystère commence. Les avis sont partagés. Le comte, comme le veulent les uns, fut-il enterré dans une fosse creusée dans le parc? Ou, suivant une autre version, que j'ai des raisons pour croire la bonne, recouvert de chaux, fut-il enfoui sous la dalle de la salle dite des Chevaliers? Fut-il tout simplement jeté dans les latrines dont le tuyau communiquait avec la Leine qui coule au pied du château, ainsi que le prétend l'auteur de l'*Histoire secrète*[1]? Son cadavre est-il celui, comme l'affirme Horace Walpole, qui fut découvert quelque vingt ans plus tard, sous le plancher d'un cabinet de toilette de l'*Herrenhausen*? Je ne pose ces questions que pour vous expliquer, bien qu'à moi encore elle me paraisse inexplicable, l'espèce de fièvre qui me prit de les résoudre. Il faut comprendre que ce problème se présentait à moi avec une acuité plus passionnante qu'à quiconque, en raison du milieu où je me trouvais, si semblable à celui où s'était déroulé le drame, et des inestimables documents que la bibliothèque ducale mettait à ma disposition.

La source la plus précieuse que l'on connaissait alors est la correspondance de Kœnigsmark et de Sophie-Dorothée, qui se trouve actuellement dans les archives de la bibliothèque de la Gardie, à Loeberod, en Suède. Cette correspondance fut découverte par le professeur Palmblad, qui en publia en 1851 des extraits à Upsal. En me signalant, lorsqu'il prit congé de moi, les travaux de Palmblad, M. Thierry espérait qu'il me serait possible de mettre la main à Lautenbourg sur une partie de cette correspondance qui erra assez longtemps

1. *Histoire secrète de la duchesse de Hanovre,* notice publiée à Londres, en 1732, sans nom d'auteur et attribuée au baron de Bielefeld, chargé d'affaires de la Cour de Prusse à Hanovre. Pour cette indication bibliographique et les suivantes, j'ai complété les souvenirs que m'a laissés le récit de Vignerte à l'aide des articles de Blaze de Bury, parus dans la *Revue des Deux Mondes,* et réunis en 1855 en un volume intitulé : *Episode de l'Histoire du Hanovre, Les Kœnigsmark.*

en Allemagne avant de venir échouer à Loeberod. Je ne trouvai rien de ce côté, mais cet échec fut compensé par une découverte autrement précieuse.

La fille de Sophie-Dorothée, je vous le rappelais à l'instant, avait épousé le prince royal de Prusse, le futur Roi-Sergent Frédéric Ier : « Mari fort rude et tyrannique, nous dit Blaze de Bury; son premier acte, une fois monté sur le trône, fut de défendre formellement à sa femme toute espèce de rapport avec la prisonnière de Ahlde. Ce ne fut que lorsque Sophie-Dorothée eut hérité de sa mère d'un revenu de vingt-huit mille écus, somme assez ronde pour l'époque, que l'avare souverain lui témoigna quelque amitié, amitié du reste très intéressée, car elle se fondait uniquement sur les droits que pouvait faire valoir sa femme à l'héritage, droits qui furent longuement établis par les consultations du célèbre jurisconsulte Thomasius[1]. »

L'humble femme qu'était la reine de Prusse, poussée secrètement par son confesseur, s'était toujours fait un reproche de n'oser pas prendre ouvertement le parti de sa mère adoptive, dont elle pressentait l'innocence. Elle profita des dispositions meilleures de son redoutable mari, et commença à réunir les pièces nécessaires à un procès en réhabilitation. Hélas, en 1726, Sophie-Dorothée mourait. Sa royale fille n'en poursuivit pas moins sa pieuse entreprise. Par ses soins, avec l'aide éclairée de ce même jurisconsulte Thomasius, un énorme dossier, comprenant douze cents documents environ, fut constitué. Il établissait nettement l'innocence de Sophie-Dorothée, l'ignominie de la comtesse de Platen.

Ce monument de piété filiale ne devait servir à rien. Une notice anonyme, placée en tête de ce dossier,

1. Blaze de Bury : *Episode de l'Histoire du Hanovre*. Notes et pièces justificatives, p. 378.

indique que, sur les représentations de George II, roi d'Angleterre, transmises à son beau-frère, Frédéric Ier de Prusse, par le ministre de Grande-Bretagne, le procès en réhabilitation de Sophie-Dorothée ne fut pas entamé. Le roi d'Angleterre faisait remarquer à sa sœur, non sans justesse, que tout ce qui serait établi à la décharge de la princesse leur mère le serait à la charge du roi leur père.

Devant la raison d'Etat, la faible reine de Prusse s'inclina. Le dossier, désormais inutile, par des avatars divers, mentionnés dans cette notice, finit par échouer, en 1783, entre les mains de la grande-duchesse Charlotte-Augusta de Lautenbourg, nièce de la souveraine.

C'est ce dossier que, vers la fin de janvier 1914, j'eus le bonheur de découvrir parmi les manuscrits non encore inventoriés de la bibliothèque ducale.

Depuis le compte rendu authentique de l'interrogatoire de Mlle de Knesebeck, confidente de Sophie-Dorothée, jusqu'à la minute de la confession de la comtesse de Platen [1], il y avait dans ce dossier de quoi refaire entièrement l'histoire du drame mystérieux de l'*Herrenhausen*. Avec la désinvolture habituelle des érudits vis-à-vis des pièces non inventoriées, je transportai dans mon appartement les six chemises in-folio qui relataient par le détail la ténébreuse histoire.

Que d'amour et de chevalerie, que de crimes et de galanterie, quel luxe, quelle frénésie de vie et de mort dans ces feuillets jaunis, dans ces minutes grossoyées en langues diverses! La nuit, quand tout dans le château était endormi, je roulais ma table devant le confortable feu de bûches de la cheminée, et je tra-

1. Le double de cette confession, intitulée *Oraison funèbre de la comtesse C. E. de Platen,* figure en pièce manuscrite dans les archives de Vienne.

vaillais avec une espèce de fièvre ardente. Je touchais là l'histoire, la vivante, non pas celle, de deuxième ou troisième main, qui m'était distillée, suivant un programme déterminé, par la bibliothèque de la Sorbonne. A vrai dire, à la sèche érudition se mêlaient dans mon cerveau les fumées d'un étrange romantisme. La cour de Hanovre dansait devant mes yeux, fantasmagorique et cruelle : Ernest-Auguste, le silène politique; Georges-Louis, débauché et borné; la comtesse de Platen, la redoutable Messaline, qui, malgré tout, avait dû être belle et désirable; Kœnigsmark, l'aventurier brun, son pourpoint saumon et or taché de sang, et surtout Sophie-Dorothée, blonde, élancée et pure, dans les brocarts d'argent qu'elle portait le jour de ses noces.

D'argent, vraiment? Cela, c'était l'histoire, la description livresque. Mais non! Combien plus belle je me l'imaginais, et plus réelle, avec une autre robe, une autre robe déjà vue. Une robe de velours vert!

C'était la fin de l'hiver, un hiver déjà incliné sur le printemps. Par ma fenêtre, entrouverte pour activer le tirant de ma cheminée, montaient des bouffées d'air qui étaient déjà des effluves. Je sentais, noirs dans l'ombre, les rameaux décharnés des arbres mollir pour les bourgeons de demain.

Alors, plusieurs fois, mon ami, mon cher ami — on peut bien s'avouer, quand la mort de toute part plane, ces folies qui sont le prix et l'honneur de la vie d'hommes tels que nous —, fasciné par le souvenir du bel aventurier assassiné, de la belle reine morte, conduit par un instinct dont plus tard j'ai compris la sûreté, j'ouvrais, le cœur battant, la porte de ma chambre. Le corridor était noir. L'escalier antique criait sous mes pas. Souvent j'ai vu, dans la salle d'honneur, la lanterne endormie de la ronde.

Qu'aurais-je dit, je vous le demande, si on m'avait apostrophé?

La porte ouverte sur le parc était un grand rectangle d'un bleu cruel où tremblait, au milieu, la mystérieuse Cassiopée. Longeant les boulingrins embués de lune, me dissimulant dans l'ombre en losange des ifs, j'allais. Une fenêtre brillait dans la partie centrale du palais : comme le grand-duc Frédéric-Auguste travaille tard!

Tout était sombre dans l'aile gauche. Mais quand, arrivé à l'extrémité du bâtiment, je me collais contre la muraille, je savais bien que là non plus, tout le monde ne dormait pas.

Ce n'était pas encore le printemps. Mais vraiment, on sentait que le rossignol allait bientôt chanter. Rose et longitudinale, une raie lumineuse s'étendait, mince, sur le gravier ratissé, décelant là aussi, écrasée de tentures, voilée de rideaux, une autre fenêtre éclairée.

Le rossignol ne chantait pas encore dans le parc français, bâti en cette Allemagne où me menait le destin. Mais, derrière la fenêtre, une plainte, vibrante, poignante, coupée par intervalles de silences injustifiés qui tenaillaient mes nerfs des plus bizarres soupçons, une lente et molle plainte filtrait de l'intérieur du palais jusque dans mon cœur... et c'était Mlle Mélusine de Graffenfried qui, sur son violon, jouait à sa maîtresse les plus inguérissables berceuses de Schumann.

V

LES *Petermanns Mittheilungen* sont la plus formidable compilation géographique du monde, et, il faut l'avouer, la plus précieuse. Nos *Annales de Géographie* n'en sont qu'un pâle reflet. Les Russes ont un admirable géographe, Woïkow. Nous avons Vidal de la Blache, dont la préface à l'*Histoire de France* de Lavisse est un chef-d'œuvre. Mais ce sont là des isolés. Ils n'ont pu tout embrasser. Les *Petermanns Mittheilungen* déconcertent par leur documentation universelle. Mes maîtres de la Sorbonne — je ne citerai pas leurs noms, cela les désobligerait aujourd'hui — m'ont cent fois affirmé qu'on ne pouvait mener à bien rien de sérieux en géographie sans le secours de cette puissante machine.

Je ne veux pas exagérer la valeur ni l'étendue de l'enseignement que je donnais à mon élève, en vous faisant croire que chacune de mes leçons était travaillée avec l'aide des *Mittheilungen* Mais toutes les fois que j'avais des raisons d'insister sur tel ou tel point, je ne manquais pas de me référer à la précieuse collection.

Ce fut ainsi que je l'appelai à mon aide lorsque j'eus

à parler au duc héritier d'une question particulièrement à l'ordre du jour, celle du Cameroun et des récentes acquisitions allemandes au Congo. Il y avait juste deux ans que le célèbre traité issu des pourparlers Cambon Kiderlen-Waechter avait donné à l'Empire le fameux *bec de canard* et la région du Togoland. Il me sembla tout naturel de consacrer quelque développement à la région à propos de laquelle le Kaiser avait assené un aussi formidable coup de poing sur la table diplomatique.

Jamais je n'oublierai ce jour. C'était le lundi 2 mars. Il va y avoir huit mois.

Après avoir consulté les tables des *Mittheilungen,* je retins le nom et les cotes de six articles sur le Cameroun et le Congo. Le second que je notai, signé du professeur Heidschütz, de l'Université de Berlin, était consacré aux voies de pénétration (naturelles et artificielles).

Posant sur le bureau de la bibliothèque le tome qui le contenait, je m'apprêtai à prendre des notes.

Comme je venais d'ouvrir le volume à la page de l'article en question, un papier s'en échappa et tomba à terre.

C'était une feuille déjà jaunie, pliée en quatre. Elle était recouverte d'une écriture haute, épaisse, volontaire. De l'allemand en caractères latins. Point de signature. Je n'en avais pas besoin, j'avais immédiatement deviné de quoi il s'agissait et qui avait écrit ce papier.

Il contenait un véritable plan de voyage dans une des régions les plus désertes du Congo, le long de la trop célèbre rivière Sangha. Les itinéraires étaient soigneusement arrêtés, grâce aux renseignements puisés dans l'article du professeur Heidschütz, qui, je ne m'étais pas trompé, donnait sur cette région les plus récentes précisions : routes praticables, gués, ressources pour un voyage d'exploration dans le pays, et cela depuis le débarquement à Libreville jusqu'au rembarquement. Chaque halte était repérée : Ouesso, deux jours — poste français, eau, porteurs; Manna, un jour, porteurs; Gléglé, sur la N'Sagha, pirogues, etc.

Une joie sourde me prit. Ainsi le hasard mettait entre mes mains le plan qu'avait arrêté lui-même le grand-duc Rodolphe de ce voyage d'étude dans la région où la maladie devait le terrasser. Ce n'était point, je le sentais, joie d'historien de découvrir un document curieux, une preuve incontestable, vu la qualité de l'explorateur, de la préméditation du coup d'Agadir. Ah! mes soucis historiques, comme ils étaient loin en cette minute! Tous les travaux que j'avais accomplis depuis la fameuse fête où la grande-duchesse m'avait infligé un affront qui me semblait avoir été remarqué de tout le monde, comme je voyais que je ne m'y étais attelé que par dépit!

Pour comprendre bien la nature des sentiments qui m'assaillaient tandis que je déchiffrais en détail le précieux papier, il faut vous dire les échafaudages que mon imagination n'avait cessé de bâtir depuis cette date. En vain, je voulais haïr la grande-duchesse : je ne pouvais pas. Cet effort ne servait qu'à me faire désirer davantage l'approcher, me faire remarquer d'elle, la convaincre que mon plus cher désir était de me dévouer pour elle. Me dévouer! je vous le demande! Qu'est-ce qui pouvait bien me pousser à croire que cette femme éblouissante et hautaine avait besoin de mon dévouement obscur... C'est ici, ami, que mon imagination avait fait des siennes. A vrai dire, elle ne tournait pas absolument à vide. Les confidences d'un homme de la pondération de M. Thierry, vous pensez bien que, dans mes longues nuits solitaires, je ne les avais pas oubliées. Quelle amplification, au contraire, ne leur avais-je pas donnée! Vaguement, je me sentais entouré de mystère. Je sentais, comme je vous sens à mon côté, dans l'ombre, qu'un drame était à l'origine du malaise qui me prenait parfois sourdement. A cette méfiance, mes recherches, mes nuits consacrées à la ténébreuse histoire des Kœnigsmark n'avaient fait qu'ajouter. Roman, direz-vous. Fumées d'un cerveau exalté par le travail solitaire, et, peut-être, par un sentiment plus fort. Vous auriez raison de penser ainsi, si les événements n'étaient venus justifier cette exaltation.

Quoi qu'il en soit, mon ami, avant la découverte du plan du grand-duc Rodolphe, j'en étais arrivé à me forger de toutes pièces un roman satisfaisant ma sensibilité. Le grand-duc Frédéric-Auguste, si correct, si bienveillant pour moi, je me le représentais comme le bourreau de sa femme, cette adorable grande-duchesse; la beauté me rendait profondément injuste. Elle me faisait attribuer à l'homme à qui je devais ma vie actuelle, qui avait bien ses agréments, des forfaits imaginaires, tandis que je dressais dans mon âme un piédestal à la femme qui m'avait un jour publiquement méprisé, et qui, depuis, chaque fois que j'avais pu l'entretenir, n'avait jamais semblé faire attention à ma présence. « Comme si elle a l'air d'une martyre, disais-je dans mes minutes de froide lucidité, cette indifférente, qui passe ses nuits à faire de la musique avec sa Mélusine, ses journées à monter à cheval, à chasser avec son petit hussard rouge! Ce Hagen... Voyons, ne crève-t-il pas les yeux que c'est le grand-duc qui est à plaindre et à aimer!... Oh! je n'aurais pas sa patience. »

Vaines tentatives pour être calme, pour oublier... Une seconde après, revenant à mes chères chimères, j'imaginais Aurore de Lautenbourg demandant à la violence du cheval, à la chasse, à la musique, à tout, l'atténuation de la douleur que lui avait causée la disparition de son premier époux, beau, brave, qui l'aimait, qu'elle devait adorer... et la jalousie qui naissait de ces rêveries me les rendait plus chères encore.

Maintes conversations avaient eu beau me démontrer leur fragilité, Mme de Wendel, avec sa sourde haine contre la grande-duchesse, avait eu beau me parler avec des soupirs de ce pauvre cher grand-duc Rodolphe, qui avait été si malheureux, je biffais résolument tout ce qui venait contrarier l'équilibre de mes constructions imaginatives.

Traitez-moi de fou. Mais, en tout cas, cette folie était un point acquis, comprenez la fièvre avec laquelle, ayant remis en place le volume des *Mittheilungen* et serré dans mon portefeuille le précieux papier, je remontai dans ma chambre.

Sésame, ouvre-toi! Je possédais donc, maintenant, la clef mystérieuse qui allait me permettre de m'introduire chez la grande-duchesse, de forcer son ressentiment. « En voyant ces lignes tracées de la main d'un époux bien-aimé, elle comprendra que celui qui les a découvertes, qui les lui apporte, ne mérite pas l'injuste indifférence qu'elle lui marque. Peut-être m'en demandera-t-elle pardon... Alors, j'aurai des mots définitifs pour arrêter sur ces belles lèvres les paroles d'excuse. Elle n'en sera que plus étonnée d'avoir pu être jusqu'ici telle pour moi. »

Deux fois, je chiffonnai et jetai dans la cheminée la lettre commencée, qui devait accompagner le document. L'une ne me semblait pas assez respectueuse, l'autre était trop pénétrée de l'importance de ma découverte. En fin de compte, je m'arrêtai à une rédaction aussi simple que possible :

Madame,

Le hasard m'a fait découvrir un document qui ne peut manquer de toucher Votre Altesse. Qu'elle me permette de le lui remettre sous ce pli, en témoignage du respectueux dévouement que lui porte son humble serviteur.

Je pensais confier le tout, avec deux mots d'explication, à Mlle de Graffenfried, qui ne s'était jamais départie à mon égard de la plus flatteuse amabilité. Un contretemps m'attendait : Mélusine venait de sortir dans Lautenbourg; ce fut à une vieille femme de chambre russe, à moitié idiote, que je dus abandonner mon enveloppe. La vieille la prit avec méfiance et disparut en marmottant quelques mots inintelligibles.

Je rentrai immédiatement chez moi. Là, ma fièvre tomba aussitôt. J'en vins presque à me faire des représentations sur ma démarche. A quoi rimait-elle? De quoi me mêlais-je? Je crois que je souhaitai presque que la vieille Russe, plus idiote encore qu'elle ne m'avait paru, égarât ma lettre.

Des pas retentirent dans le corridor. On frappa à ma porte. Ludwig entra.

« Que monsieur le professeur veuille m'excuser. On demande monsieur le professeur. »

S'effaçant, il introduisit un laquais. Je pensai m'effondrer en reconnaissant la livrée bleu et or de la grande-duchesse.

« Si monsieur le professeur veut bien m'accompagner », dit cet homme.

Abasourdi de l'effet si rapide de ma démarche, je le suivis, sans même penser à prendre mon chapeau.

Nous traversâmes de biais le parc. Où me menait-il? Nous arrivions au jardin anglais que nous descendîmes. Nous longions maintenant la Melna, rose entre les saules, au soleil couchant.

D'un fourré de châtaigniers, un coup de fusil partit. Il me sembla entendre un frémissement dans les branches, comme la dégringolade d'un oiseau.

« Que monsieur le professeur veuille bien passer. »

J'étais maintenant dans une espèce de chambre de verdure. Son fusil encore fumant à la main, la grande-duchesse s'y tenait debout.

« Excusez-moi, monsieur, je m'amuse à tirer quelques grives », dit-elle simplement.

Et, d'un geste, elle congédia, son laquais.

*

J'étais seul avec la reine de mes rêves. Je savais que cette entrevue viendrait, mais je n'eusse jamais prévu qu'elle aurait pour théâtre cette tonnelle auprès de laquelle, en me promenant, j'avais si souvent passé sans la soupçonner.

Pendant quelques secondes, elle me dévisagea en silence. Mon trouble était au-dessus de tout ce que je pourrais vous dire. Ce n'est que plus tard, beaucoup plus tard, que je compris combien il m'avait servi. Un interlocuteur aussi tremblant ne pouvait être un adversaire.

D'une voix très douce, si douce que je ne la reconnaissais pas, elle parla enfin.

« Je vous remercie, monsieur Vignerte, de votre communication. Vous avez eu raison de penser qu'aucun souvenir de feu le grand-duc Rodolphe ne pouvait m'être indifférent. »

Elle ajouta :

« Pouvez-vous me dire la façon dont ce papier est tombé entre vos mains? »

Par le détail, je lui contai ma découverte. Il devait y avoir tant d'émotion et de candeur dans mon récit que je la sentis touchée.

« Monsieur, dit-elle — et ses paroles avaient une infinie douceur —, si, comme je l'espère, nous sommes appelés à nous connaître davantage, vous finirez, j'en suis sûre, par ne plus m'en vouloir de certaines façons un peu brusques que j'ai pu avoir vis-à-vis de vous. Non, ne vous récriez pas. Ces manières étaient voulues, monsieur. L'indifférence est toujours feinte chez les femmes. Sachez que, pour me comprendre, il faut des éléments qui sont loin d'être en votre possession. »

Où étaient les belles protestations par lesquelles je m'étais promis de répondre à cette phrase que j'avais, malgré tout, prévue?

« Travaillez-vous toujours autant, monsieur Vignerte? me dit Aurore avec un sourire qui n'était pas exempt d'une douce ironie.

— Madame, murmurai-je, navré.

— Oh! je ne prétends pas vous arracher à votre élève sérénissime. Mais je me rappelle cependant que le grand-duc, en vous faisant venir ici, avait eu l'aimable dessein de vous prêter à moi de temps en temps. Je ne puis que m'en prendre à moi-même de n'avoir pas profité jusqu'à ce jour de cette attention. »

Le doute où je me trouvais de savoir si elle parlait sérieusement me clouait au sol, muet.

Elle me demanda :

« Savez-vous jouer au bridge?

— Mon Dieu, à peu près, balbutiai-je, bénissant Kessel et le vieux colonel de Wendel à qui j'étais redevable de cette récente acquisition.

— Eh bien, cher monsieur, nous faisons un bridge chaque soir, Mlle de Graffenfried, le lieutenant de Hagen et moi. Vous ferez le quatrième. C'est un service beaucoup plus grand que vous ne vous figurez, dit-elle en souriant. Inutile d'ajouter que vous viendrez quand vous voudrez. »

Elle continua :

« Je me suis laissé dire en outre que vous avez quelques livres français des plus intéressants. Je lis assez; j'aurais un grand plaisir à les connaître, si toutefois je ne dois pas trop priver cette bonne Mme de Wendel. »

Je rougis violemment.

« C'est donc entendu, dit-elle sans s'en apercevoir. Vous viendrez quand vous voudrez, monsieur Vignerte, mais si c'est une façon de vous prouver de nouveau ma reconnaissance que de vous adresser une prière, laissez-moi vous dire que je serai heureuse de vous avoir ce soir chez moi, vers neuf heures et demie. »

M'étant incliné, je me retirais, quand elle me fit signe de m'approcher d'elle :

« Monsieur, me dit-elle, bas, d'une voix grave, il est bien entendu que tout ce qui concerne ceci doit demeurer entre nous. »

Elle me montrait, en parlant, ma lettre, qu'elle venait de prendre dans une des poches de sa jaquette noire, à grandes basques.

Je m'inclinai encore.

« Eh bien, à ce soir donc, monsieur Vignerte, et si vous vouliez mettre le comble à votre amabilité, en vous en allant, tâchez de faire le moins de bruit possible, pour ne pas effaroucher les grives. »

Je rentrai au palais, en faisant un détour, le long de la Melna. Un martin-pêcheur, rasant l'eau mauve, allait et revenait. Il avait la couleur de l'émeraude que, pendant qu'elle me parlait, je voyais au doigt pâle d'Aurore de Lautenbourg-Detmold.

*

La table de bridge de la grande-duchesse était installée au premier étage, dans un étrange petit salon Louis XV. Deux toiles de Boucher, un Largillière et un admirable Watteau en faisaient le plus grand mérite. Et des fleurs partout, des masses de fleurs.

Songeant que Hagen y serait, j'avais mis un point d'honneur à ne pas arriver le premier. De fait, il était bien dix heures moins le quart quand je frappai aux appartements d'Aurore de Lautenbourg.

Ce fut Mélusine qui vint m'ouvrir.

« Que je suis heureuse! » murmura l'aimable fille en me prenant la main.

La grande-duchesse m'accueillit d'un sourire en m'indiquant la table où elle avait déjà pris place avec Hagen.

Il me sembla que le hussard rouge était de bien mauvaise humeur. Cette constatation me combla d'aise, et, durant toute la partie, j'eus pour lui les prévenances les plus délicates.

Aurore de Lautenbourg avait une espèce de tunique de soie noire, bordée au col, aux manches, de chinchilla, largement décolletée, toute soutachée d'or; une résille filigranée d'or retenait ses énormes cheveux fauves.

Elle jouait avec une nonchalance hardie, gagnant presque toujours, ne manquant jamais un *contre*. Mélusine aussi jouait bien. Je faisais d'énormes fautes, coupant avec placidité les cartes maîtresses, et finissant, comme de juste, par gagner.

J'avais une immense joie à penser qu'il ne fallait rien

de moins que la présence de la grande-duchesse pour que Hagen, à plusieurs reprises, ne me jetât pas ses cartes à la figure.

Comme onze heures sonnaient, la première partie prit fin. La grande-duchesse se leva.

« Mon petit, dit-elle familièrement à Hagen, les cartes vous perdront. Je n'oublie pas que vous avez demain revue du général inspecteur Hildenstein, et qu'il vous faut être sur pied à six heures du matin. »

Elle ajouta :

« Vous n'avez plus à craindre de nous laisser toutes deux seules, Mélusine et moi, puisque M. Vignerte consent aimablement à nous tenir compagnie. Allons, allez vous coucher. »

Maternelle, elle lui présentait son sabre. Il le boucla en me jetant un regard de haine que je feignis de ne pas voir.

Mélusine de Graffenfried, de son éternel sourire vague, souriait.

« Passons chez moi, voulez-vous dit Aurore. Monsieur Vignerte, prenez les livres que vous m'avez apportés. »

*

Conformément aux préceptes posés par Edgar Poe dans sa *Psychologie de l'Ameublement*, la chambre de la grande-duchesse était de forme arrondie. Un large globe mauve, incrusté dans le plafond, épandait sa lumière nébuleuse, sans ombres.

Aux murs, quelques gravures de Burne Jones, de Constable et de Gustave Moreau.

Elle était pleine, cette chambre, des trois choses que je préfère à tout : les fleurs, les fourrures et les pierres précieuses.

Les fleurs débordaient de partout, et il me fallut

cinq bonnes minutes pour m'accoutumer à leur violence. Puis, le doux apaisement s'étant emparé de moi, je pus à peu près les dénombrer.

Il y avait, naturellement, des roses et des lis. Mais, sur cette trame sublime, la flore de la Tcherna et du Caucase avait brodé les variations les plus inattendues. Les molènes de Mongolie laissaient pendre le long des murs leurs grappes longues de près d'un mètre. Les centaurées roses encombraient les tables de leurs gerbes musquées. Les passiflores bleues, qui étonnent au printemps les bords désolés de la mer d'Aral, les tubéreuses d'Erivan, les scabieuses cramoisies, d'énormes œillets multicolores, les linaires et les amarantes, les balsamines et les nigelles, les primevères du Kasbeck, les grandes marguerites rouges des défilés de Dariel, l'immortelle de Colchide dans laquelle se blottit le mythique oiseau vert asfir, toutes ces fleurs connues ou inconnues chez nous composaient, dans cette chambre moite, un éternel printemps.

Mes regards s'arrêtaient surtout sur les iris, d'un violet presque noir, d'un parfum effréné.

La grande-duchesse le vit et sourit :

« Ce sont ceux que je préfère. Ils sont les frères de ceux que je cueillais, petite, au bord de la Volga. »

S'étant assise sur son lit, immense et bas, recouvert de deux peaux d'ours blanc, elle retira la résille qui retenait ses cheveux. L'énorme toison blonde s'écroula sur la fourrure blanche.

A ses pieds, Mélusine, accroupie sur une peau de tigre, son coude sur le gigantesque crâne du fauve, accordait une espèce de guzla d'où elle tirait des accords plaintifs et sourds.

La grande-duchesse, un à un, retirait ses bijoux, les posant sur les guéridons qui l'entouraient, au petit bonheur. Sur une commode à dessus d'onyx vert, peinte comme une boîte persane, je reconnus le diadème barbare qu'elle portait le jour de la fête du 7ᵉ hussards. A côté, il y avait le même, plus lourd encore et orné de saphirs.

Sur les fourrures qui jonchaient le sol, fourmillaient, comme des scarabées et des coccinelles, des petits bijoux roses et verts, d'origine arménienne. Un grand collier d'ambre et de turquoise, en forme de chapelet, pendait à la tête du lit, et, au-dessus, dans une petite niche sombre, il y avait une icône bleu et or devant laquelle brillait une veilleuse.

Deux grandes coupes d'argent, divinement ciselées, étaient près de la grande-duchesse. Dans l'une, il y avait des pétales fanés, dans l'autre une infinité de pierreries brutes. Elle y plongeait la main, et laissait s'enfuir ensuite, comme une poignée de sable ramassée au bord de la mer, la pluie mate et ardente des perles et des corindons, des calcédoines et des béryls, des sardoines et des péridots...

O Margravine de Lautenbourg, devant moi, vous étiez redevenue la princesse tartare, la fée orientale, la péri des flots mystérieux de la Volga.

*

Elle me pria de lui raconter les circonstances qui m'avaient amené à Lautenbourg. Elle en savait déjà quelques détails par Marçais, mais au sourire qui accompagna cette phrase, je compris le cas qu'elle faisait de la perspicacité de ce diplomate.

C'était mon histoire qu'elle me demandait là. Je satisfis ce désir avec la plus grande simplicité possible. A la fin, comme je la sentais intéressée, favorablement disposée, je ne pus m'empêcher de lui dire avec émotion la peine que m'avait causée notre première rencontre, à moi qui, sitôt que je l'avais entrevue, n'avais plus eu au cœur que le désir de lui être agréable.

Les yeux fermés, envoyant au plafond des volutes de sa pâle cigarette, Mélusine de Graffenfried approuvait de la tête.

« Oublions tout cela, voulez-vous, monsieur Vignerte, dit la grande-duchesse, et donnez-moi la main. »

Et s'adressant à Mélusine, elle lui dit, en russe, ignorant que j'avais quelques notions de sa langue natale :

« Ce n'est pas encore sur celui-là qu'il faut compter pour mon admission à la *Kirchhaus.* »

Mlle de Graffenfried répondit par un hochement qui semblait signifier : Ne vous l'avais-je pas dit?

« Mélusine, commanda la grande-duchesse, allume le samovar. »

Tandis que la jeune fille disposait les tasses à thé autour de la lourde tour bourdonnante de cuivre rouge, Aurore s'était levée et avait ouvert un petit secrétaire. Elle me fit signe d'approcher.

« Connaissez-vous cette écriture? » demanda-t-elle en me tendant une lettre.

J'examinai le papier. Je n'avais jamais vu l'écriture en question.

« C'est celle de feu le grand-duc Rodolphe », me dit-elle simplement.

Mon étonnement toucha à la stupéfaction. Elle ne put s'empêcher de sourire.

« Mais alors, madame, excusez-moi, je ne comprends plus. De qui est le papier que je vous ai remis, à qui je dois...

— Calmez-vous, calmez-vous, monsieur Vignerte; le papier à qui vous devez mon estime, et déjà mon amitié, ce papier n'a pas été écrit par feu le grand-duc mon époux. Mais il n'est pas sans valeur pour moi. Qui sait, il en a peut-être une plus grande. »

Parlant ainsi, elle avait déplié le document.

« Je vois là un nom, dit-elle, Sangha. Savez-vous ce que c'est?

— Oui, répondis-je, depuis ce matin : c'est une infime bourgade du Cameroun, le dernier poste allemand; à dix lieues du fort Flatters, le premier poste français.

— C'est là, ajouta-t-elle, et, ce que vous semblez ignorer, c'est dans ce pauvre village que mourut d'insolation, le 10 mai 1911, le grand-duc Rodolphe. C'est là qu'il est enterré. Aussi comprenez mon émotion de lire, sur la liste même des étapes qui devait servir à son voyage, le nom de celle où il s'est arrêté pour toujours.

— Mais de qui est-elle, cette liste? Qui l'a dressée?

— Un ami! répondit la grande-duchesse. Le fidèle compagnon de route du grand-duc. Celui qui, à deux reprises, lui a sauvé la vie au Congo. Celui qui, s'il n'a pu le sauver de la maladie, l'a veillé jusqu'au bout, lui a rendu les suprêmes devoirs.

— Il s'appelle? demandai-je.

— Le baron Ulrich de Boose. »

Je poussai un cri.

Boose, c'était lui!

La grande-duchesse s'était levée, toute droite, un peu pâle. A ses pieds, Mélusine ne grattait plus la guitare, qui gisait sur le tapis.

« Monsieur, dit Aurore de Lautenbourg, que voulez-vous dire? Expliquez-vous, je vous prie. »

Mais déjà j'avais repris un peu de mon sang-froid, j'avais vaguement conscience d'une faute. J'eusse voulu parler d'autre chose.

La grande-duchesse ne l'entendait pas ainsi :

« Vous connaissiez M. de Boose?

— Madame, balbutiai-je, excusez-moi. Vraiment, je ne sais si je dois, si je peux...

— Qu'est-ce que vous ne devez pas, qu'est-ce que vous ne pouvez pas? »

Je maudissais l'exclamation maladroite et prématurée qui risquait de compromettre en une seconde deux mois de patients travaux d'approche. Affolé, cherchant un appui, mes yeux rencontrèrent Mélusine.

La grande-duchesse parut se méprendre sur le sens de ce regard.

« Monsieur, me dit-elle, Mlle de Graffenfried est mon amie, et sachez que je n'ai plus de secret pour ceux à qui j'ai donné une fois ce titre. Vous pouvez parler devant elle, et même je vous en prie. »

La mise en demeure était indiscutable. Balbutiant comme ceux qui n'ont à formuler que des choses vagues, je lui fis, tant bien que mal, le récit de l'entretien avec M. Thierry au cours duquel j'entendis pour la première fois parler du baron de Boose.

Un pli barrait le front d'Aurore de Lautenbourg.

« Je comprends, murmura-t-elle enfin, ou plutôt, je crois comprendre, malgré les réticences volontaires de votre récit. »

Elle réfléchit un moment, puis me dit, ayant retrouvé tout son calme :

« Ceci est la preuve, cher monsieur, de combien on doit se défier des suppositions hâtives. Je ne sais pas où votre M. Thierry s'en est allé chercher les histoires dont il vous a farci la cervelle. Si, comme vous l'affirmez, c'est un historien consciencieux, il aurait agi, je pense, avec plus de considération s'il avait eu entre les mains ceci, et ceci. »

Elle me tendait la lettre de tout à l'heure, à laquelle elle en avait joint une autre.

« Ce sont, m'expliqua-t-elle, deux des dernières lettres qui me furent écrites du Congo par le grand-duc Rodolphe. Il m'y dit, dans la première, comment il fut sauvé par Ulrich de Boose d'un buffle qui avait éventré son cheval; dans la seconde, comment ce même Boose le retira des mains de cinq ou six indigènes qui s'apprêtaient à lui faire passer un mauvais quart d'heure. »

Elle me regardait en souriant, tandis que je lisais les passages qu'elle soulignait.

Un peu penaud, je m'inclinai.

Nous bûmes, dans les tasses que Mélusine venait de remplir, un thé violent, où nageaient des zestes de cédrat. Puis je baisai la main de la grande-duchesse et serrai celle de Mélusine.

« Au revoir, ami, me dit Aurore, à demain. »

Je rentrai chez moi par le parc, après avoir aperçu, en sortant, une ombre qui me parut bien être le lieutenant de Hagen.

*

Un, puis un autre coup de feu, retentirent dans la nuit vide et claire. Nous prêtâmes l'oreille. Aucun autre ne suivit.

Vignerte haussa les épaules.

« Quelque sentinelle qui s'affole.

— Prêtez-moi votre lampe électrique? » *me demanda-t-il.*

L'ayant allumée, il me tendit deux papiers.

« Qu'est cela? dis-je.

— Cela, me répondit-il, c'est d'abord une des lettres adressées à Aurore de Lautenbourg par le grand-duc Rodolphe. Voici ensuite le document rédigé par M. de Boose, qui me valut, ainsi que je viens de vous le raconter, de rentrer en grâce auprès de la grande-duchesse. Il est bon, ajouta-t-il, que vous ne vous figuriez pas que vous rêvez en m'écoutant. Prenez un peu contact avec la réalité. »

Je regardai avidement ces deux papiers : l'un couvert de l'écriture énergique et forte de Boose, l'autre plein de ces caractères allongés, féminins, qui dénotent une nature inclinée moins sur l'action que sur le rêve. La lettre de ce grand-duc allemand qui reposait à cette minute par-delà les mers, dans les glaises calcinées du Congo, entre les barres rouges des tropiques, cette lettre m'émouvait infiniment. A la toucher, j'évoquais avec une incroyable précision celle à qui elle fut écrite. Aurore de Lautenbourg était près de nous. Il me semblait que je la connaissais depuis longtemps.

Vignerte éteignit la lampe, et le rectangle de ciel nocturne réapparut. Je lui rendis ses papiers. Il continua :

Parlant des *Lettres de Dupuis et de Cotonet*, Brunetière a dit qu'on y trouve moins d'esprit que de désir d'en avoir. Et c'est à peu près vrai de toutes les autres choses de Musset. Et rien ne peut mieux faire comprendre, par opposition, ce qu'était la conversation de la grande-duchesse. Cette femme orgueilleuse y était toujours elle-même. Et comme elle était un être d'exception, ce qu'elle disait était toujours exceptionnel. Hautaine dans ses jugements, jamais prétentieuse, jamais livresque, n'éveillant jamais l'écho « du fracas d'in-folio qui tombent ».

Elle répugnait au lieu commun autant que le chat à une bouillie d'herbes.

Dans l'ignorance où je me trouvais de ses goûts et de son savoir, je lui avais la veille apporté trois livres : *Le Voyage du Condottiere, les Eblouissements, Les Evocations.*

Le lendemain, elle me les rendit.

« J'ai lu tout cela, me dit-elle. Mais votre choix n'était pas mal fait. Je vois que vous aimez la poésie. »

Sur un sofa traînaient quelques volumes. Elle en prit un et me le tendit.

« C'est la *Revue du Caucase,* qui paraît à Tiflis. Il y a plus de beauté dans ces pages maladroites, dans ces naïfs récits de voyage aux régions immortelles que dans la plupart de vos poètes d'aujourd'hui. C'est la grande source où les poètes de demain viendront s'abreuver. »

Elle continua :

« Shakespeare est mort depuis trois siècles, et les landes où il vit Macbeth sont aujourd'hui rasées, pleines d'usines. Des commis voyageurs de par ici ont remplacé en Espagne Don Quichotte. En Italie, Carducci est une espèce d'Hugo imbécile. Vos paysages d'émotion sont devenus, comme la Suisse, un pays de touristes. Il y a des tourniquets au bas de toutes vos cimes.

« Suarès, dont vous m'avez prêté le livre, le sent, et quand il a parlé de notre Dostoïewsky, il s'est surpassé lui-même. Il faudrait qu'il vînt un peu aux gorges de Dariel. Je suis bien sûre qu'il les préférerait à celles de l'Ebre et du Douro, dont on voit des images dans toutes les gares.

« Mme de Noailles est sans doute votre plus grand poète. Mais pourquoi s'obstiner à la dire grecque! Grecque, elle ne l'est pas plus que l'Ariane du Bacchus indien, ou la Médée de Circassie. Ce qu'elle a de meilleur, elle le doit à l'Arménie et à la Perse, qui sont des pays à nous. Grecque! ils me font rire. Vous ne l'avez donc jamais vue? J'ai déjeuné une fois avec elle, à Evian. Je puis dire qu'elle m'a plu, car elle est belle et méchante. Mais vraiment, je sais qu'elle n'a pas le type grec. Il y a chez nous un oiseau qu'on appelle le choucas. Il est sauvage, monte très haut, et mord. Ses plumes sont noires et bleues. Il est mince et nerveux. Mme de Noailles, c'est un choucas de Tartarie et non une lourde et grassouillette colombe d'Egine.

— Et celle-ci? dis-je, lui tendant en même temps, le volume de Renée Vivien.

— Celle-ci, me répondit-elle en baisant le livre, je vous en parlerais mal, car je l'adore. »

J'étais éperdu de joie d'écouter, dans un cadre qui satisfaisait mes plus impérieux besoins de luxe, cette femme que j'admirais avec une ferveur passionnée parler des choses qui me sont les plus chères. Je le lui dis simplement, comme on devrait toujours faire.

Elle en fut touchée, je crois. Posant sa main sur mon épaule, elle murmura, je ne me rappelle plus dans quelle langue :

« Tu es gentil et je t'aime bien, petit frère. »

Et, se tournant vers Mélusine, elle lui répéta la phrase russe de la veille :

« Non, vraiment, ce n'est pas encore sur celui-ci qu'il faut compter pour mon admission à la *Kirchhaus.* »

Puis, avec sa vivacité ordinaire :

« Je crois, ami, que je vous ai tutoyé. Il ne faut pas faire attention. Je mélange un peu tous les dialectes, et, chez nous, on tutoie presque toujours tout le monde, depuis les pauvres bêtes fidèles jusqu'au Tsar. »

Un long silence régna, coupé à intervalles cadencés par l'air bizarre dont Mélusine faisait résonner sa guzla.

Dans une coupe, une pastille d'encens fumait.

Par contenance, je me mis à tourner, sans les lire, les pages d'un livre ouvert sur une petite table, à côté de moi.

« Vous aimez cela? » me demanda Aurore.

Cela, c'était les *Reisebilder.*

Et comme je lui disais mon culte pour Heine :

« Moi, dit-elle, ce que je prise avant tout dans un poète, c'est une certaine qualité d'âme. C'est pourquoi je chéris Shelley et Lamartine, et c'est pourquoi ce Heine m'a toujours dégoûtée. Oh! je sais ce que vous allez me dire, la *Nordsee* et le reste. Je connais mieux que personne ma dette envers lui. Mais il est comme ce Deutz, qui vendit votre duchesse de Berry, et j'ai toujours envie de prendre des pincettes pour lui tendre mon admiration. »

M'ayant pris le livre des mains, elle le parcourait.

Quelle heure pouvait-il être, je ne savais. Soudain, par la fenêtre ouverte derrière les portières, se glissa un peu de cet air froid précurseur de l'aube. La fumée d'encens oscilla, comme une colonne qui va se renverser.

Abîmée maintenant dans les *Reisebilder,* la grande-duchesse ne me voyait plus. Mélusine mit en souriant un doigt sur ses lèvres et me reconduisit sans que sa maîtresse se fût aperçue de notre sortie.

Dehors, il faisait froid. L'azur clair de la nuit se brouillait à l'est et devint lentement violet, puis vert, puis jaune. Je m'étais assis sur un banc, à côté de la porte, au-dessous de la fenêtre de la grande-duchesse, savourant une espèce de joie triste, à ce même endroit où j'étais venu tant de nuits avec l'unique raison d'être près d'elle.

Alors, lasse, monotone, mais pure comme l'eau glacée d'un torrent, une voix chanta.

Rythmée par la guzla de Mélusine, c'était la voix de la grande-duchesse. Nulle dissonance dans cet être. Sa voix était bien celle que j'avais pu rêver.

Elle chantait la romance d'Ilse, la plus belle des *Reisebilder.* Et, parce que nous venions d'en parler ensemble, il me semblait que j'étais encore un peu dans sa chambre.

Je suis la princesse Ilse, et j'habite la roche Ilsenstein.
Viens avec moi dans mon château, nous y serons heureux.
Je veux guérir ta tête avec mes vagues transparentes,
Tu oublieras tes chagrins, pauvre garçon malade de soucis!

Je veux t'embrasser et te serrer comme j'ai serré et embrassé
Le cher empereur Henri, qui est mort maintenant.
Les morts sont morts. Et il n'est que les vivants qui vivent
Et je suis belle et florissante; mon cœur rit et palpite.

Mon cœur rit et palpite... Viens chez moi, dans mon palais
[de cristal.
Mes demoiselles et mes chevaliers y dansent, la troupe des
[écuyers se livre à la joie.
Les longues robes de soie bruissent, les éperons d'or
[résonnent.
Les nains font retentir les timbales, jouent du violon et
[sonnent du cor.
Mais toi, mon bras t'enlacera, comme il enlaça l'empereur
[Henri :
De mes mains blanches, je lui bouchai les oreilles, quand
[dehors la trompette sonna.

Il se fit un grand silence. Puis le jour naquit.

*

J'étais en train de donner à mon élève sa leçon d'histoire ancienne quand le grand-duc entra.

Il nous fit signe de nous rasseoir, et à moi de continuer.

J'avais, ce matin-là, parlé au duc Joachim des successeurs d'Alexandre, depuis les combats dans les rues de Babylone. que se livrèrent les Epigones jusqu'à la bataille de Cyropédéon, qui assit, par la défaite de Lysimaque, les dynasties des Lagides et des Séleucides. J'avais essayé de camper devant mon jeune prince allemand les grandes et tragiques figures d'Eumène, le chef des Argyraspides, de Polysperchon, d'Antipater, d'Antigone Gonatas, de Démétrius Poliorcète. Il m'écoutait en prenant force notes, avec une docilité que j'eusse souhaitée moins complète...

Le grand-duc s'était assis, et écoutait lui aussi. Séduit par sa figure grave et intelligente, ce n'était plus pour le borné Joachim que je parlais, c'était pour Frédéric-Auguste. C'est à lui que s'adressa ma conclusion, lorsque j'essayai d'expliquer comment la poussière d'empire des Epigones devait faciliter la victoire de la Rome centralisatrice.

Comme, à un instant, mes paroles s'embarrassaient un peu :

« Que ma présence ne vous gêne pas, dit en souriant Frédéric-Auguste, si vous avez l'intention d'établir un parallèle entre Rome et la Prusse. »

J'étais en effet visiblement ennuyé d'insister, devant lui, sur la vassalité des souverains allemands confédérés vis-à-vis du roi de Prusse.

Je le fis néanmoins et il m'approuva :

« Puisse cette vassalité, dit-il, comme la soumission des pays alliés de Rome, assurer la grandeur de l'Allemagne et la paix du monde. »

Je terminai en indiquant à mon élève la bibliographie de la leçon que je venais de lui faire, et lui citai l'ouvrage essentiel : *L'Histoire de l'Hellénisme,* par Droysen.

« Pardon, monsieur, dit le grand-duc, n'y a-t-il aucun ouvrage français susceptible d'être utilisé à la place de celui de Droysen? »

Je n'avais jamais ressenti en Sorbonne la honte que j'eus ici à répondre que non.

Onze heures sonnaient.

« Joachim, dit le grand-duc, vous pouvez vous retirer. Restez, monsieur Vignerte. »

Quand nous fûmes seuls :

« Monsieur, me dit-il de sa belle voix grave, un peu

triste, vous avez jusqu'ici pu me croire avare des compliments que certainement vous sentez mériter. Mais j'ai la mauvaise habitude d'attendre assez longtemps avant de me prononcer. Ce moment est arrivé, monsieur. A votre insu, votre élève a subi hier un examen que lui a fait passer un professeur de l'Université de Kiel. Peu suspect de partialité envers les méthodes françaises, ce professeur n'a pu que s'incliner devant les résultats que vous avez obtenus.

Il ajouta sur un ton qui n'était pas dénué d'amertume :

« Je sais que le moissonneur a d'autant plus de mérite que sa moisson a poussé sur un terrain plus rebelle. Permettez-moi de vous adresser aujourd'hui mes remerciements, en vous exprimant le vœu que l'hospitalité de Lautenbourg soit assez de votre goût pour vous permettre d'y poursuivre jusqu'au bout une tâche si bien commencée.

— Monseigneur, répondis-je, véritablement ému, c'est moi qui suis confus de la bienveillance que me témoigne Votre Altesse.

— C'est moi, dit-il avec force, c'est moi qui suis votre débiteur. Je viens d'apprendre, monsieur Vignerte, que vous prélevez sur les maigres loisirs que vous laisse l'éducation de mon fils des heures que vous consacrez à une tâche qui m'est peut-être plus chère encore. Que tout ceci, à jamais, demeure entre nous. Je sais à quelles difficultés vous avez pu vous heurter avant d'obtenir de la grande-duchesse la confiance qu'elle vous a maintenant, je crois, octroyée. Je ne vous connaissais pas assez, monsieur, pour vous manifester dès l'abord, plus explicitement que je ne le fis, le désir où j'étais de la distraire, de l'arracher à des pensées noires, à une sorte de déséquilibre moral fatal à sa santé physique. Vous m'avez compris, et vous avez réussi mieux que je ne l'espérais. Vous voyez bien que c'est moi qui suis votre débiteur. »

Il y avait dans sa voix tant de tristesse majestueuse qu'une extraordinaire émotion me gagna :

« Monseigneur, murmurai-je, je vous promets... »

Il étendit la main.

« Je n'ai pas besoin de promesses, monsieur. Je vous connais à présent, et sens que tout ce qu'il sera en votre pouvoir de faire pour le bien de la grande-duchesse, vous le ferez. Ce sera la meilleure façon de justifier la confiance que je vous porte. Votre tâche ne sera peut-être pas toujours facile. Une femme, surtout lorsqu'elle a été éprouvée par la mort d'un être aimé, n'a pas cette égalité d'humeur dont nous autres hommes nous nous enorgueillissons. Faites pour le mieux, cher monsieur. »

Nous gardâmes un moment le silence. Puis il dit encore.

« J'ajouterais d'autres remerciements, si toute mardévouement que je me trouve exiger de vous. Je viens de vous donner en vous parlant de la sorte. Vous me permettrez cependant de tenir compte du surcroît de dévouement que je trouve exiger de vous. Je viens de donner des ordres pour que vos appointements soient portés à 15 000 marks. »

Et comme je me récriais :

« Allons! me dit-il avec ce sourire qu'il savait rendre charmant, ne jouez-vous pas chaque soir maintenant au bridge, à cinq pfennigs le point? »

*

J'arrivai un peu en retard au déjeuner et trouvai le professeur Cyrus Beck en grande discussion avec Kessel.

Ce dernier s'amusait visiblement à taquiner le vieux savant qui, des moins aptes à comprendre la plaisanterie, était cramoisi d'indignation.

J'avais trop de sujets de méditation à rouler dans ma tête pour prêter l'oreille à leurs propos. J'entendais vaguement le professeur affirmer que la chimie jouerait dans la prochaine guerre un rôle supérieur à celui de toutes les autres armes, et que lui, Cyrus Beck, était sur le chemin d'une découverte qui permettrait, avec un modeste laboratoire et quelques cornues, de réduire à néant un corps d'armée.

Il s'excitait énormément aux railleries que lui opposait Kessel.

A la fin, il en vint à m'appeler en témoignage contre le commandant, me demandant de lui citer le passage où Renan souhaite que les destinées de l'humanité soient remises entre les mains d'une commission de savants dépositaires d'explosifs assez forts pour faire sauter la Terre aux quatre coins du firmament, si ses habitants s'avisaient de broncher.

J'avoue que je n'avais qu'imparfaitement écouté son raisonnement.

« Evidemment, lui dis-je! Permettez-moi, je vous prie, monsieur Beck, de vous demander maintenant un petit renseignement.

— A votre disposition.

— Pouvez-vous me dire ce que c'est que la *Kirchhaus?* »

Le vieux s'était levé. A mon grand ébahissement, il me jeta un regard chargé de colère, et, avant que je fusse revenu de ma surprise, il sortit en faisant claquer la porte.

Je regardai Kessel. Cet homme, si froid et correct, se tordait littéralement de rire.

« Qu'y a-t-il? demandai-je.

— Vous en avez de bonnes, put-il enfin dire. Pauvre homme! Avez-vous vu son air furibond? Lui qui croyait trouver en vous un appui.

— Mais pourquoi s'est-il fâché? » demandai-je, et mon étonnement était si naturel que ce fut au tour de Kessel d'être surpris.

« Comment, me dit-il, vous ne l'avez pas fait exprès?

— Quoi?

— Ce n'est pas exprès que vous lui avez demandé ce que c'était que la *Kirchhaus?*

— Je le lui ai demandé parce que je l'ignorais, et pour le savoir », dis-je, un peu agacé.

Il me regarda et se mit à rire encore plus fort.

« Ah! bien, comme hasard, alors, jamais je n'ai rien vu de mieux. La *Kirchhaus,* mon cher ami, à Lautenbourg, vous ne savez donc pas ce que c'est?

— Eh bien?

— Eh bien, parbleu, c'est la maison des fous. »

*

En toutes saisons, la grande-duchesse chassait.

De temps en temps, pour faire plaisir aux officiers du 7e hussards, elle condescendait à courir un renard ou un cerf. Mais ce qu'elle préférait à tout, c'était la chasse solitaire, à travers la pluie et le vent, sans piqueurs, sans valets ni rabatteurs; la chasse avec un chien, et l'imprévu.

Que de fois, le soir, je l'ai vue, dans son petit salon, faire elle-même ses cartouches. Les belles douilles bleues, violettes, vertes, chamois, tricolores, étaient alignées devant elle, sur une table, où était vissé le sertisseur. Réglant méticuleusement les chargeurs de cuivre, elle donnait à chacune sa dose de poudre, sa bourre, sa dose de plomb, son petit carton blanc. Puis, quand elle les avait serties, elle inscrivait, sur chacune d'elles le numéro du plomb.

Hagen était de toutes les parties de chasse, et, vraiment, il eût été difficile de l'en évincer, puisque c'était son service. Mélusine de Graffenfried, molle et mauvaise marcheuse, préférait rester au palais, allongée sur les fourrures, à fumer ses éternelles cigarettes blondes. En revanche, presque toujours, M. de Marçais venait avec nous. Ce lui était l'occasion d'exhiber des costumes de sport sensationnels, sur lesquels Aurore ne manquait jamais de le complimenter. Il était d'ailleurs un compagnon serviable, plein d'entrain, charmant.

Nous partions du château vers deux heures de l'après-midi, à cheval. Il fallait d'abord traverser l'*Herrenwald*. Des écureuils bondissaient dans les sapins, des faisans s'enlevaient pesamment dans les avenues. Au fond d'une gorge embroussaillée, c'était le vol invisible et tumultueux d'une bécasse.

Marçais aurait bien voulu demeurer là. Il aimait mieux la chasse en forêt, aux faisans, dans une clairière, avec, à ses côtés, un laquais pour lui recharger son fusil et lui annoncer le passage du gibier : un faisan à gauche, monsieur le comte; une poule à droite.

Mais la grande-duchesse Aurore ne l'entendait pas de cette oreille, ayant horreur de tout ce qui rappelait la chasse officielle, et affichant d'ailleurs un goût prononcé pour le gibier d'eau.

Bientôt les arbres rabougris se clairsemaient. L'immense étendue palustre apparaissait, grise et vert pâle. Au-dessus, le soleil déjà bas était une grosse boule rose.

Deux valets nous attendaient dans un petit kiosque rustique : ils prenaient nos chevaux. Marçais avait son chien Dick, un grand braque bleu d'Auvergne, dur de la gueule, chassant un peu loin, mais tenant bien l'arrêt. L'épagneul de la grand-duchesse, noir et feu, assez laid, semblait le frère chien de Tarass-Boulba.

Avec quel bonheur, rejetant les brides, elle sautait à terre. Je vois encore le geste par lequel, ouvrant son *hammerless,* elle y faisait glisser les deux cartouches mauves. J'entends le bruit froid du laiton venant claquer contre l'acier du canon...

... Quand j'avais quinze ans, armé d'un vieux fusil à broche, j'avais déjà goûté à cette extraordinaire joie, la chasse dans un immense marais. Plus tard, au régiment, les tirs sur silhouettes disparaissantes m'ont été de l'enfantillage à côté des beaux doublés sur bécassines divergentes que je réussis alors.

Il y a, au nord de Dax, un marécage immense, délimité par les misérables bourgades d'Herm et de Gourbera. On y pénètre par une gorge appelée la Cible, parce que les chasseurs de l'empereur y firent autrefois des tirs.

C'était la même étendue brumeuse. Oh! la plainte mouillée du sable mou, de la terre fondante, les grandes herbes jaunes et tranchantes comme des sabres, qui scient la main maladroite qui s'y raccroche.

De cette boue, de ces traîtresses nappes de mousse verte, de ces trous entourés de roseaux, de ce paysage en apparence uniforme, je savais toute la diversité, et l'innombrable faune qui l'habite.

Comme la belle chasseresse des marais de la Volga, je connaissais tous les oiseaux de ces étendues pâles : le râle noir, ou râle d'eau, qui sautille dans les arbustes dépouillés; le râle de genêt, ou râle rouge, qui court à perdre haleine à travers les grandes herbes, dépiste les meilleurs chiens, essouffle le chasseur et fait croire à la présence d'un lièvre, avant de se décider à s'envoler, pauvre oiseau alors malhabile, proie condamnée.

C'étaient les multiples espèces de canards, sur lesquels le plomb glisse, et qui filent vertigineusement, de leur vol oblique et rigide : souchets siffleurs, milouins, tadornes à belles têtes rouges; aigres sarcelles qui naviguent par couples, et qui, sur leurs poitrines roussâtres, ont trois plumes en forme de trèfle noir...

C'étaient les vanneaux, noirs et blancs, comme des pies, qui montent dans l'air en croassant, et tout d'un coup chavirent vers la terre, pour éviter le coup de feu...

C'étaient les pluviers, si beaux, au printemps, dans leur simarre d'or...

C'étaient, enfin! les reines du marais, le plus beau, le plus difficile coup de fusil, les bécassines : la petite, moins grosse qu'une alouette, que chez moi on appelle *sourde,* rayée de bleu et de vert; la bécassine ordinaire, de la taille d'une caille, mais toute en nerf, et la plus rare, la double, qui a la taille d'une perdrix.

Avec leur cri triste et rauque, elles filent dans une vitesse qui éblouit, avec des crochets qui déconcertent. On vise à droite et, quand le vent a emporté la fumée, on voit à gauche, très loin, le petit oiseau gris qui disparaît.

Au milieu de ces marécages hanovriens, semblables à s'y méprendre aux marais landais, Aurore de Lautenbourg était plus belle encore qu'au palais, en toilette d'apparat. Une toque de grèbe sur ses cheveux, d'immenses et fines bottes la chaussant, elle allait, sautant avec la légèreté d'une bergeronnette sur les mottes croulantes. La buée jaune de cette atmosphère brouillée d'eau mettait à son profil un reflet mauve. Marçais tirait froidement, bien. Le petit Hagen s'énervait et lâchait toujours trop vite son coup de fusil. J'étais de beaucoup plus adroit qu'eux, mais quelle piètre figure je faisais à côté de la grande-duchesse.

Nous laissant les râles et les canards, elle ne s'en prenait qu'aux bécassines. Peu à peu, la nuit tombait sur l'étendue aquatique. Le bas de l'horizon se cuivrait dans un dernier embrasement. Les flaques d'eau brillaient d'un éclat vert qui se fonce et noircit. Des fusils, à chaque détonation, commençaient à sortir une pâle baguette de flamme qui, à mesure que l'obscurité tombait, devenait plus rouge.

C'était l'heure de la grande-duchesse. Son épagneul endiablé se multipliait. On entendait, sous ses arrêts répétés, s'envoler les bécassines. Ni Marçais, ni Hagen, ni moi, ne les voyions plus. Mais Aurore les voyait, elle; chacun de ses coups de fusil abattait un petit oiseau gris.

On attendait, une seconde, puis, dans l'obscurité, c'était un bruit d'herbes écartées. Les yeux pleins de phosphore, trempé, luisant et noir, l'épagneul apparaissait, rapportant à sa maîtresse la bécassine qui venait de tomber.

Il faisait nuit. Au ciel bas, avec des cris lointains et rouillés, des files de grues invisibles passaient. La grande-duchesse prenait à son chien l'oiseau. Nous nous rapprochions. Je la voyais tâter le corps ténu, encore chaud. Pas une blessure apparente. Rien qui pût déceler le grain de plomb, l'imperceptible trou noir par où cette mince vie s'était envolée.

Alors, avec l'inconséquence qui est le propre de bien des chasseurs, portant à ses lèvres la petite bête inerte, Aurore de Lautenbourg y déposait un baiser.

VI

Ce fut le samedi soir, 16 mai 1914, que la grande-duchesse de Lautenbourg me fit l'honneur de me conter l'histoire de sa vie. Ce récit, permettez-moi de vous le refaire, moins en raison de l'utilité incontestable de certains de ses détails pour l'intelligence du drame qui va maintenant se précipiter, que pour la joie que j'ai à ouvrir ce coffret à bijoux, à manier les adorables pierreries barbares dont il déborde, et qui, toujours, si noire soit-elle, éclaireront ma nuit.

Hagen, obligé d'assister à un dîner que donnait le 7e hussards, n'était pas là. Je vis avec bonheur que, quelle que fût la désinvolture avec laquelle elle traitait cet amoureux taciturne et obstiné, elle était plus libre avec moi que devant lui.

Etendue à demi sur la peau d'ours blanc qui recouvrait sa chaise longue, elle était vêtue ce soir-là d'une tunique très vaste, très légère, de soie turque, jaune, avec des broderies mauves et argent. Par moments, elle froissait les grandes roses d'une coupe posée à côté d'elle sur un guéridon bas, et l'on entendait la chute molle des pétales sur le tapis bleu.

Mélusine, accroupie sur le tapis, les cheveux à demi

déroulés, laissait sa tête languissante reposer sur les pieds nus de sa maîtresse, que, par moments, elle enlaçait.

Du fauteuil où j'étais assis, je voyais, dans l'entrebâillement de son fichu de Valenciennes, se gonfler voluptueusement la fine gorge mate de la jeune fille. Derrière les tentures tirées, la fenêtre était ouverte, et la brise nocturne, les écartant parfois, mêlait à l'odeur entêtante de l'ambre, des roses et des cigarettes, les balsamiques parfums de l'*Herrenwald*.

Avec cette insouciance complète de l'effet, du style, mêlant trois langues, passant du voussoiement français à la troisième personne allemande, au tutoiement russe. Aurore parla.

« Tu sais, commença-t-elle, que je n'ai pas précisément monté en me mariant. De princesse, je n'ai plus été que grande-duchesse. Et pour être alliée aux Hohenzollern, la famille de mes maris n'est pas de beaucoup aussi ancienne que la mienne.

« Je suis une princesse Tumène. Je sais bien que vos histoires occidentales ne contiennent presque rien à notre sujet. Mais si tu allais à Samarkande, à Kara-Koroum, ou seulement à Tiflis, tu lirais dans les vieilles chroniques mongoles des choses qui te laisseraient rêveur sur l'antiquité de nos origines, et tu comprendrais que vos Broglie, vos Cumberland ne sont que des parvenus à notre côté.

« Il y a eu un prince Tumène décapité pour avoir résisté à Iaroslav le Grand, et je ne remonte pas plus haut pour ne pas t'ennuyer avec des noms à coucher dehors. Un autre, beaucoup plus tard, a donné tellement de fil à retordre à Ivan le Terrible, que celui-ci préféra traiter avec lui et lui envoyer des présents merveilleux. dont une grande pendule avec le zodiaque tout en saphirs. N'empêche que le fils de ce Tumène-là amena quarante mille cavaliers au Khan de Crimée, lorsqu'il alla assiéger Moscou, en 1571, je crois.

« Il ne faudrait pas croire que, parce que nous avons lutté d'abord contre le Tsar, nous étions des sauvages. Boris Godounov a eu bien besoin de nous contre les Tartares, les Tcherkesses et les Tchérémisses. C'est vrai que nous préférions nous battre contre les Européens. C'est Alexis Tumène, filleul de Pierre le Grand, qui a conduit la grande charge de Pultawa. En récompense, ce Tsar le laissa tranquille avec ses réformes. Il y a chez nous un tableau dans le style de votre Mignard qui le représente avec son bonnet de grèbe, sa touloupe d'or, brodée comme une chasuble, et ses longues moustaches que le Tsar avait fait couper à tous les autres.

« Le premier qui fut rasé fut Wladimir, mon arrière-grand-père. C'est ce Wladimir qui faillit être fusillé par ordre de Barclay de Tolly, je ne me rappelle plus pourquoi. Il commandait le corps des cosaques d'Astrakan qui campèrent dans les Champs-Elysées et qui y firent du beau, paraît-il. Mon arrière-grand-père avait beaucoup pillé, mais il vendit tout pour avoir de l'argent qu'il s'empressa de perdre au Palais-Royal. Tu penses, il faisait paroli sur la rouge, et la noire est sortie quatorze fois.

« Le père de Wladimir avait été d'abord très bien avec Catherine II. Lorsqu'elle en eut assez, elle lui fit épouser une demoiselle d'Anhalt. C'est la première fois que ma famille s'est alliée avec des gens de par ici. J'espère que je clorai cette liste. Mélusine, je ne dis pas cela pour te peiner, mais cette Allemande était bête et économe. Par exemple, elle n'a pu faire à sa ressemblance un seul des sept enfants qu'elle donna à son mari. Tous des petits cosaques.

« Ma grand-mère était d'Erivan. On dit que je lui

ressemble, mais elle était plus belle que moi. Elle se convertit pour épouser mon grand-père, dont elle était folle. Avant, elle adorait le feu, ce qui est bien la plus belle religion du monde.

« Papa, dont j'aurai l'occasion de te reparler, est le second de la famille qui se soit allié aux Allemands, et aux Hohenzollern encore. Mais il faut savoir comment cela s'est fait. Papa était, comme le grand-père Wladimir, abominablement joueur. Il avait juré de regagner en France ce que l'autre y avait perdu. En réalité, il s'y serait ruiné, si on peut être jamais ruiné avec des terres grandes comme six de vos départements, des cosaques dont on ne connaît pas le nombre et des troupeaux qui doublent tous les ans.

« Toujours est-il qu'il passait dix mois de l'année à Paris — il était du Jockey —, à Aix, à Nice, dans tous les endroits où l'on peut rencontrer des types comme lui. — C'est à Aix qu'il connut ma mère. C'était en été 1882. Il était un soir à la Villa des Fleurs avec le roi Georges de Grèce et le grand-duc Wassili. Ils avaient beaucoup bu et ne devaient pas être seuls. C'est alors que papa se mit à dire des femmes un tas d'horreurs, affirmant qu'elles se valaient toutes, et que lui, prince Tumène, obligé de se marier à cause du nom, était bien décidé à prendre n'importe laquelle, au hasard.

« — Alors, dit le grand-duc, épouse la première qui « entrera ici.

« — Aussi bien, pourvu naturellement qu'elle ne « soit pas déjà mariée », ajouta mon père, qui avait de la religion.

« — Je parie que non.

« — Combien?

« — Cent mille roubles.

« — Tenu. »

« Jamais, paraît-il, le roi Georges ne s'était tant amusé. Pauvre homme, j'ai eu du chagrin, il y a six mois, quand on la assassiné. Mais, enfin, je voudrais que vous vous figuriez, Mélusine et toi, cette scène avec ces trois hommes attendant que la porte s'ouvre devant celle qui allait être princesse Tumène, car ils connaissaient bien l'entêtement de mon père et savaient qu'il aurait épousé la reine Pomaré ou Mme Dieulafoy plutôt que de perdre son pari.

« Ce fut ma mère qui entra, c'est-à-dire la duchesse Eléonore de Hesse-Darmstadt, alors âgée de seize ans et suivie de sa gouvernante anglaise. J'en frémis encore. Si l'Anglaise était entrée la première, papa l'aurait certainement épousée, et j'aurais été bien moins jolie.

« Maman était en effet belle comme le jour. Une Mélusine blonde. Peut-être pourtant pas si belle que toi, ma chère Mélusine. Je l'ai peu connue, puisque je n'avais que cinq ans quand elle est morte. Elle ne put jamais bien s'habituer à la Tartarie. Je me rappelle, les premiers soirs d'automne, elle frémissait en entendant crier les courlis dans les marais de la Volga. Papa l'a beaucoup trompée. Elle ne savait que pleurer, et il paraît que c'est ce qui agace le plus les hommes.

« Comment ne pouvait-on pas se plaire dans notre palais, c'est ce que je me demande encore. Ne te figure pas, je te prie, que ce soit une demeure de sauvage. Vers 1850, une Française est venue chez nous. Tu peux lire le livre qu'elle a écrit : *Voyages dans les steppes de la Caspienne.* Il a paru à Paris. Elle s'appelait Mme Hommaire de Hell. Son mari était un ingénieur, chargé de mission géodésique. Tu pourras vérifier cela dans tes bouquins. Elle fut reçue par mon grand-père. Elle a laissé une description assez exacte du palais.

« Ce palais était bâti dans une île de la Volga. Mes

aïeux avaient fait cela à cause des nomades. Cette raison a disparu, mais le pittoresque est resté.

« Mon plus lointain souvenir est celui du bruit de la sirène du bateau à aubes qui, trois fois par semaine, faisait le service d'Astrakan. C'était une joie, parce qu'il y avait des visiteurs, le gouverneur, le ministre de France, un homme aussi aimable que Marçais, qui m'apportait des poupées et plus tard des livres. Comme les vrais seigneurs, papa était toujours de bonne humeur quand il avait du monde à recevoir.

« Le fenêtre de ma chambre donnait sur le fleuve. Je voyais, sur l'eau jaune, les flottilles des canards sauvages descendre le courant, gravement, comme des jouets mécaniques vernis et cela, a-t-on idée, pendant que Mlle Jaufre, ma gouvernante, me serinait la règle des participes : quand le complément est placé avant, il s'accorde; quand il est placé après... Moi, je me levais doucement, je prenais ma longue canardière, avec du n° 4, et pan, pan, dans la flottille. Les domestiques allaient en bateau me chercher les canards. Papa ne se fâchait que si je n'en avais pas tué au moins une demi-douzaine. Après cela, ne t'épate pas si je fais quelquefois des fautes d'accord.

« Pour le piano, j'avais un professeur italien. — Un républicain. Il aurait voulu faire croire, avec des sourires entendus, qu'il était fils naturel de Garibaldi. Je ne me rappelle que son prénom, Teobaldo. Un jour, j'avais quinze ans, il tournait derrière moi les pages de la partition que je déchiffrais, il m'embrassa dans le cou. Il faut dire que je l'avais un peu agacé, pour voir, tu comprends. Je me mis à me tordre de rire. Il prit ça pour des frissons et m'embrassa plus fort. Je riais, je riais. Papa entra, je crus que j'allais être grondée. Mais la pièce était sombre. Il ressortit en emportant son sertisseur qu'il avait laissé sur une table. Pour le petit gibier, papa faisait ses cartouches lui-même, à cause du groupement.

« Le lendemain, j'étais avec Mlle Jaufre à me promener dans un petit bois de sapins, à la corne ouest de l'île, très fourré. Nous donnâmes presque de la tête dans une grande forme flasque qui se balançait pendue à un cèdre. C'était le pauvre Teobaldo. Mlle Jaufre s'enfuit en poussant un grand cri. Moi, je le retournai par les pieds, pour voir. Mais je m'enfuis bien vite aussi. Sa langue noire et tuméfiée pendait sur sa lavallière. Il avait les yeux blancs avec déjà, comme dans une vieille pomme, de grosses mouches, et, ce qu'il y a d'horrible, la même expression que quand il m'avait embrassée. Depuis, les hommes m'ont toujours dégoûtée.

« C'est alors que je devins rêveuse, pour avoir lu le *Démon,* de Lermontov, qui est un bien plus grand poète que votre Vigny et même que Byron. Je pâlis. Deux plaques roses marbrèrent mes joues. Un médecin vint d'Astrakan. Entre nous, je trouvai moyen de lui graisser la patte. Il m'ordonna les eaux de Piatigorsk. C'était précisément ce que je voulais, car c'est là, tu ne l'ignores pas, que fut tué en duel Lermontov.

« Les eaux de Piatigorsk sont des cascades qui rebondissent au flanc des murailles de granit noir et de mica étincelant. Cela a très grand air. Au bout de huit jours, je m'y ennuyais tellement que j'en avais recouvré la santé.

« Je crois que je n'aurais pu atteindre les quinze jours décrétés par papa sans la découverte que je fis d'un vieux Français extrêmement pittoresque, qui servait, à Piatigorsk, à guider les étrangers dans leurs promenades à travers la montagne. C'était un condamné politique. Je crois qu'il avait été l'ami de Vaillant. Bref, on l'avait expulsé de chez vous sous

Carnot, et, comme ils font tous, il était venu se réfugier en Russie.

« Ce vieux était instruit, mais il avait des idées à lui. Je le pris en amitié surtout parce que Mlle Jaufre levait les bras au ciel en répétant : « Que dira Son « Altesse! » lorsqu'il me parlait d'un tas de gens que j'ignorais jusqu'alors : Saint-Simon, Enfantin, Bazard, et Karl Marx, et Lassalle, et la Loi d'airain. Que sais-je encore!

« Je n'avais jamais lu Tolstoï. Le vieux me prêta *Résurrection.* Je n'avais pas idée d'un tel monde. Pour faire endêver Mlle Jaufre, je me fis expliquer les idées sociales de Tolstoï. Le vieux jubilait : « Ah! Made- « moiselle! Si vous vouliez, quelle belle œuvre! »

« Le résultat, c'est qu'en quittant Piatigorsk, je ramenai avec moi le père Barbessoul. C'était son nom. Papa fut bien un peu étonné quand il nous vit revenir avec ce patriarche. Mais comme j'avais bonne mine, il ne dit rien. Et puis, il était habitué à mes fantaisies.

« Il fit plus. Il y avait à côté de l'île du château, dans la Volga, une autre petite île, d'une demi-verste carrée. Papa me la donna avec cinquante moujiks, hommes, femmes et enfants, pour y installer, d'après l'idée du vieux, un phalanstère, moitié Saint-Simon, moitié Tolstoï : suppression de la propriété individuelle, répartition des instruments de travail selon les besoins et les capacités, etc.

« D'abord, tout alla très bien. Je passais quatre heures par jour dans le phalanstère. Le vieux Barbessoul exultait. Il était dans cette organisation quelque chose comme pope et contremaître. Papa me croyait folle.

« Vous ne vous étonnerez pas si je vous dis que j'en eus vite assez. D'ailleurs, les choses se gâtèrent : les gens du phalanstère allaient la nuit en barque voler les poulets des riverains, se sentant protégés par mon influence. Papa avait eu la bonté de leur supprimer les impôts et les journées de travail : c'est effrayant ce qu'ils buvaient de kvass. Il n'y avait que le vieux Barbessoul pour ne pas voir comme ils sentaient fort l'alcool, jusqu'aux femmes. Figure-toi qu'au bout de deux mois, l'un d'entre eux avait fini par posséder tous les instruments agricoles; les autres les avaient mis en gage pour avoir du kvass. Alors, comme ils ne pouvaient plus travailler, ils fainéantaient tout le jour, et la nuit allaient voler les moujiks de la plaine. Une nuit, il y eut bataille. Deux moujiks furent tués. Papa se fâcha tout rouge, me traita de sotte et voulut faire pendre le vieux Barbessoul. Sur mes instances, il n'en fit rien, mais le phalanstère fut dissous. Depuis, il ne faut plus me la faire avec le socialisme. Il est sûr que, sans les cosaques de papa, tous ces gens se seraient entr'égorgés.

*

« Un jour de février 1909, je venais d'avoir vingt ans, j'étais en bateau sur un bras de la Volga, en train de tirer les macreuses, quand je vis sur la berge le cosaque préféré de papa qui faisait de grands gestes. Il avait mis au bout de son sabre son bonnet et l'agitait, l'agitait.

« Il criait aussi, mais je ne l'entendais pas. Je comprenais qu'il y avait un événement à la maison. Mais je voulais paraître indifférente, malgré toute la curiosité où j'étais de savoir quoi. Je ne ralliai la rive qu'une heure plus tard; le pauvre homme était mort de fatigue, tellement il avait agité ses bras en s'époumonant. Il me dit que le Prince m'attendait dans son cabinet. Je m'y rendis le plus lentement possible, prévoyant d'ailleurs une bonne semonce.

« Il n'en fut rien. Papa avait l'air ravi. Il m'embrassa, puis me montrant une grande enveloppe scellée de rouge sur son bureau, il m'expliqua de quoi il s'agissait.

« C'était le Tsar qui écrivait à papa. Il lui annonçait qu'en mai l'empereur Guillaume devait venir à Saint-Pétersbourg, qu'il y aurait de grandes fêtes, et pour finir une revue à Tzarskoïe-Sélo; qu'à ce propos, il était désireux d'y voir les cosaques d'Astrakan et de l'Aral, et qu'il priait le prince Tumène de lui en emmener une brigade. « La Tsarine, ajoutait-il, sera « heureuse de faire la connaissance à cette occasion « avec sa petite nièce. » J'ai oublié de vous dire que j'étais sa nièce, par suite du mariage de papa avec une grande-duchesse de Hesse-Darmstadt.

« Jamais, je puis vous l'affirmer, je n'avais trouvé longs les jours dans notre palais de la Volga. N'empêche qu'en écoutant mon père je sentis une immense joie et que, de ce moment, je n'eus plus qu'une idée : épater le Tsar, la Tsarine, et l'empereur d'Allemagne, et tout le monde. Je me regardais toute la journée dans la glace, et vraiment, je n'étais pas trop fâchée de l'image qu'elle me renvoyait.

« Jusque-là, je m'étais fait habiller à Astrakan, chez les sœurs Menjuzan, de fort bonnes couturières françaises, qui allaient une fois l'an à Paris pour les modèles et qui réalisaient de l'or avec les grandes dames tcherkesses. Papa m'ouvrit un crédit illimité, et je partis deux jours après avec Mlle Jaufre. Mais il faut te dire que j'avais mon idée.

« Je revins d'Astrakan en disant qu'il n'y avait rien du tout. Je pleurai devant papa en affirmant que je ne voulais pas paraître à la cour attifée comme une sauvagesse. Vous pensez que je n'allais pas lâcher ainsi la belle occasion qui s'offrait de voir Paris. Papa se fit bien un peu tirer l'oreille. Mais j'avais tout de suite compris qu'il ne serait pas fâché d'aller redire un mot à ses connaissances de jadis.

« Dans les premiers jours de mars, nous partîmes. En arrivant dans ce Paris dont on m'avait tant bourré la tête, je n'avais qu'une crainte, y paraître étonnée De là les allures un peu extravagantes que j'affectai.

« Papa se découvrit tout de suite un tas de visites et de courses indispensables à faire. Au Ritz, je ne le voyais qu'à l'heure des repas, et encore.

« Il voulait m'envoyer chez Redfern. Par esprit de contradiction, j'allai chez Doucet. Jamais je n'ai rien vu d'aussi ridicule que Mlle Jaufre avec son pince-nez et sa robe de satin noir caparaçonnée de jais, au milieu de ces belles filles qui allaient, venaient, me saluaient, pour que je puisse bien faire mon choix.

« On m'avait demandé : « Que veut voir Son « Altesse?

« — Toutes les collections », répondis-je froidement.

« En un rien de temps, j'avais commandé six robes du soir, une douzaine de tailleurs, deux amazones, et le reste à l'avenant.

« Jamais je ne me trouvai assez décolletée. Mlle Jaufre était verte. La première crut même devoir me faire remarquer que, pour une jeune fille, c'était peut-être un peu risqué. Je la renvoyai à ses essayages. D'ailleurs papa, qui était venu une fois, m'avait approuvée, en me regardant avec un air dont je m'étais sentie fière, car je le savais connaisseur.

« Ce soir-là, se reconnaissant un peu coupable de tout le temps me plaquer ainsi, il me dit que nous dînerions ensemble, et donna l'ordre à Mlle Jaufre de me conduire, à huit heures précises, avenue Gabriel, devant chez Laurent. Inutile de vous dire qu'à huit heures, il n'y avait personne. J'attendis, assise sur un banc. Pour passer le temps, avec le petit poignard damasquiné que je portais en boucle de ceinture, je gravai mon nom sur ce banc. Il doit y être encore.

« A huit heures dix, voyant un vieux monsieur qui rôdait autour de nous, et ayant envie de détendre un peu mes nerfs, j'ordonnai à Mlle Jaufre d'aller m'acheter une boîte de *Mercédès* au bureau de tabac de l'avenue Matignon. Elle regimba un peu, mais partit. Le vieux alors s'approcha. Il avait des pantalons damier, un melon gris. Il me dit un tas de choses drôles, me parlant d'un petit appartement rue d'Offémont, avec un ascenseur doublé de toile de Jouy. Je tournais la tête pour ne pas qu'il me vît me tordre de rire, si bien que je fus fort étonnée en entendant le bruit d'une gifle formidable. En me retournant, j'aperçus papa. Le vieux partit avec dignité, murmurant que si on ne pouvait plus plaisanter... Sous la lune, je voyais son melon gris tout cabossé.

« Mlle Jaufre revenait avec les *Mercédès*. Papa lui dit froidement de rentrer dîner au Ritz et de se coucher.

« Chez Laurent, on dîne dehors, sous les beaux arbres, par petites tables avec des abat-jour. Il y avait un monde fou. Papa était là plus chez lui que dans notre palais de la Volga. Il me présenta à un tas de gens célèbres, Bunau-Varilla, Charles Derennes, M. de Bonnefon, la princesse Lucien Murat, Maurice Rostand. Celui-ci me plut beaucoup, avec son air d'enfant de chœur de messes roses. Nous nous écrivons toujours, et il doit venir me voir à Lautenbourg.

« A onze heures, papa me raccompagna au Ritz, et me dit qu'il avait besoin de passer rue de Grenelle, à l'Ambassade. Mais vous pensez comme j'avais envie de me coucher. Mlle Jaufre ronflait comme une toupie de Nuremberg, et je crus ne jamais pouvoir la réveiller. Si vous aviez vu son air ahuri quand je lui dis que papa avait donné rendez-vous à minuit, et qu'il fallait se lever.

« Rue de la Paix, nous prîmes un taxi. « *Au Grelot* », dis-je à l'homme. C'était un nom que j'avais entendu chez Laurent.

« Le *Grelot* est place Blanche. Je doute, cher petit ami, studieux et sérieux comme je te sais, que tu y sois jamais allé. Quand nous entrâmes, je fus un peu jalouse du succès qu'obtint le corsage de jais de Mlle Jaufre. Un petit viveur tout à fait soûl cria que c'était Mme Fallières. Alors toute la salle se mit à chanter en chœur une chanson célèbre, dont le refrain était :

La tante Julie,
La tante Octavie,
La tante Sophie,
Le cousin Léon,
L'oncle Théodule,
L'oncle Thrasybule,
Les cousins Tibulle
Et Timoléon.

« Moi, je riais, je riais, et ma gaieté naturelle en imposait à tout le monde qui, au moment de notre entrée, avait l'air de s'embêter ferme.

« Nous bûmes du champagne, énormément de champagne. Puis on dansa. Je montrai à ces Français ce que sait faire une princesse russe. Il n'y eut qu'un des tziganes qui arriva à valser convenablement avec moi. On nous fit une belle ovation.

« Un musicien nègre vint inviter Mlle Jaufre. Vous me croirez si vous voulez, elle accepta. Après le champagne, ce n'était plus la même femme. Deux danseuses étaient venues s'asseoir à côté de moi, l'une brune. Zita, avec une robe bleu argent, une autre, la Crevette, tout habillée de rose, qui m'appelait ma princesse, sans savoir que c'était vrai. Elles mangeaient mes croustilles et buvaient mon champagne. Moi, j'étais heureuse, heureuse, et déjà un peu partie, je répétais : « C'est beau, c'est beau, Paris. »

« Je vis tout d'un coup que plusieurs de ces pauvres filles avaient des reprises à leurs bas de soie, près du soulier verni. Alors, je criai qu'on fît attention, et je lançai en l'air une poignée de louis. Elles se précipitèrent et les retrouvèrent presque tous, à part cinq ou six sur lesquels des messieurs très chic avaient mis le pied.

« Je crois que j'aurais passé là toute la nuit, si tout d'un coup, dans la salle à côté, je n'avais entendu pousser de grands cris :

« — Lili, Lili, voilà Lili! Vive Lili! »

« Je regardai, et vis papa qui arrivait. C'est lui qu'on appelait Lili, à cause de son prénom qui était Wassili.

« Il était lui aussi excessivement gai, et avait à ses bras deux filles, tellement belles que j'en fus jalouse.

« Il était trop occupé pour me voir. Immédiatement, je me mis en devoir de filer. Mais pour emmener Mlle Jaufre, ce fut toute une histoire. Elle ne voulait pas se séparer du Nègre. Dans le taxi elle chantait à tue-tête :

Caroline, Caroline,
Mets tes p'tits souliers vernis.

« Puis tout d'un coup, appuyée à la vitre, elle se mit à pleurer à gros sanglots, disant que je ne l'avais pas respectée.

« Papa eut, chez Doucet, une note de trente-huit mille six cents francs. Il ne protesta pas, et il me sembla que les exigences de sa fille avaient encore été moindres que celles d'autres personnes, ce dont je conçus un certain dépit.

*

« De retour en Russie, nous trouvâmes au palais une autre lettre du Tsar, avertissant papa que l'arrivée du Kaiser à Saint-Pétersbourg était fixée au 15 mai, et qu'il eût à se préparer en conséquence.

« Je ne peux vous dire le luxe avec lequel il fit équiper sa brigade. Les cosaques d'Astrakan ont le bonnet noir en forme de pain de sucre, comme les Arméniens, la pelisse rouge, bordée de fourrure, avec les cartouchières jaunes. Les cosaques de l'Aral ont la pelisse bleu de ciel, avec les cartouchières blanches et le bonnet kalmouk rond, d'un diamètre de 75 centimètres, qui les fait appeler les « Grosses Têtes ». Ils sont armés du sabre recourbé, sur lequel ceux de l'Aral, qui sont mahométans, gravent des versets du Koran, du fouet à boules de plomb et de la grande lance.

« Papa fit remplacer tous les passepoils de laine par des parements d'or et d'argent. Un jour de fin avril, quand les petits crocus sortent de terre, il passa en revue ses escadrons. Il n'y avait qu'un mince soleil jaune, mais il suffisait à donner à ces magnifiques cavaliers un tel éclat qu'on pouvait imaginer ce que ça serait, sous la lumière de mai, à Tzarskoïe-Sélo.

« Le jour de leur départ pour Pétersbourg, il faillit y avoir du grabuge. Figurez-vous que ces pauvres gens, qui ne craignent ni les bouranes, ni les hommes, ni les esprits des marais et des eaux, ont peur du chemin de fer. Les chevaux sont comme eux. La moitié s'emballèrent, quand ils virent la petite locomotive ventrue, crachant et sifflant au milieu de la steppe. Sans le pope, qui bénit cet animal, personne n'aurait voulu monter.

« Ils partirent enfin, par douze trains successifs, qui mirent douze jours à leur faire traverser la grande Russie. Nous qui prenions l'express, nous ne quittâmes le palais que huit jours plus tard. Le Tsar avait fait mettre à notre disposition un wagon-salon. Nous y invitâmes les deux colonels et les six commandants. Le pope était avec Mlle Jaufre et Kounine, le cosaque préféré de papa; je leur avais confié mes robes.

« Pétersbourg est une grande ville, avec des casernes et des églises, et d'immenses jardins. On voit que l'homme qui en a tracé le plan avait des idées nettes. Nous fûmes splendidement logés au Palais d'Hiver et, dès le premier soir, reçus par le Tsar en audience privée. « Ah! dit-il, voilà la « petite nièce », et je vis bien qu'il me trouvait belle. La Tsarine m'embrassa et appela mes cousines les grandes-duchesses pour nous présenter. Je remis à Olga et à Tatiana deux colliers de rubis du Caucase, qui ont à l'intérieur comme une larme de diamant, et aux petites des colliers de perles roses. Papa avait apporté au Tsarevitch une boucle d'aigrette pour le colback, faite d'un gros diamant, et un petit sabre cosaque avec le pommeau en saphirs et brillants.

« Le surlendemain, tous les bourdons de la capitale sonnant annoncèrent l'approche du Kaiser. Le Tsar, le Tsarevitch et les grands-ducs étaient allés à sa rencontre, à Kronstadt.

« J'ai revu depuis tant de fois des entrées de souverains dans les villes qu'elles sont parvenues, presque, à me démolir, pierre à pierre, le souvenir de celle-là. C'est égal, ce fut bien beau.

« De mon balcon, j'assistai à l'arrivée au palais. Les cuirassiers blancs, avec les grands-ducs, galopaient aux portières. Les honneurs étaient rendus par le régiment Préobrajensky. Pendant ce temps, les cosaques de papa étaient parqués dans deux casernes, avec défense de sortir. Je fus d'abord vexée, mais je compris vite que c'était parce qu'ils étaient les plus beaux de toutes les Russies, et que le Tsar les cachait jalousement pour le grand coup d'épate final.

« Sous le doux ciel pommelé de Bothnie, les cuirasses et les sabres étaient bleus et jaunes.

« Le Kaiser était avec le Tsar, le Tsarevitch et le Kronprinz dans la première calèche. Il était en colonel de cuirassiers russes, avec, sur le casque d'argent, le grand aigle d'or éployé. Il saluait beaucoup, d'un air heureux. Frédéric-Guillaume portait l'uniforme des hussards noirs.

« L'Impératrice et la Tsarine venaient derrière, avec un tas de princes allemands et de généraux.

« Les présentations n'en finirent pas. J'eus mon succès. « Eh! mais c'est la petite nièce », dit le Kaiser en me prenant la main et en m'emmenant à l'Impératrice. L'Impératrice, du fond de ses malines et de ses plumes d'autruche, m'embrassa en me disant qu'elle aimait beaucoup ma pauvre maman. Pendant ce temps Frédéric-Guillaume et Adalbert me reluquaient, je ne vous dis que ça.

« Je passai tout l'après-midi à me préparer pour le gala du soir. J'avais peur de ne pas faire de l'effet. J'étais nerveuse; pour un rien je querellais Mlle Jaufre. On aurait dit que je pressentais tous les embêtements qui allaient fondre sur ma vie à la suite de cette maudite soirée.

« On ne peut s'imaginer la beauté d'une fête à Péterhof. Le Kaiser avait mis un deuxième uniforme, plus brillant encore que le premier. Mais si vous saviez la tête qu'il fit quand il vit celui de papa. Pour la richesse du costume, il n'y a rien à faire avec le prince Tumène. A côté des pierreries de la chaîne qui retenait sur l'épaule gauche sa pelisse rouge, les diamants de l'impératrice avaient l'air de rognures d'une pauvre petite bourgeoise de Moabit.

« Moi, quand je parus, je vis le Tsar réprimer un petit geste d'étonnement. J'eus peur une seconde de m'être trop décolletée. Puis cette crainte se volatilisa avec la sensation de l'effet que je produisais. Vous pensez, j'avais tiré le grand numéro un de Doucet, la robe de velours bleu saphir, très simple, mais moulée il fallait voir, et, comme bijoux, rien que des saphirs. Comme les enfants, je pensais déjà à mon effet du lendemain. « Quelle trompette ils vont tous faire, « me disais-je, quand ils verront mon numéro deux, « ma robe rouge, avec rien que des rubis. »

« On dansa. J'étais heureuse de voir ces Allemands, habitués aux valses lentes, perdre la mesure de notre valse russe, si nerveuse, et être obligés, à cloche-pied, de sauter jusqu'à deux temps pour la rattraper; ou de l'attendre, comme des hérons.

« Je dansai avec le Kronprinz. Il me fit compliment de ma toilette, et me dit que l'empereur allemand n'était pas un souverain absolu, puisqu'il n'avait jamais pu obtenir des dames de sa cour qu'elles missent moins de six couleurs dans leurs robes. Espérant le vexer un peu, je lui dis que ce n'était pas étonnant, et que la mienne était de Paris. Mais il me dit que j'avais bien raison, qu'il n'y avait rien comme Paris, et me raconta un tas d'histoires tordantes sur cette ville, à tel point que, lorsqu'il me reconduisit à ma place, j'entendis l'impératrice lui murmurer au passage : « Fritz, de la tenue. »

« En même temps, elle me faisait signe de venir m'asseoir à son côté.

« Dès le matin, j'avais remarqué, parmi les officiers du Kaiser, un grand hussard, vêtu d'un uniforme ponceau, à brandebourgs jonquille. Il était roux, avec de bons yeux myopes, bleus et obstinés, qui, sous le lorgnon, ne me perdaient pas de vue une minute. Naturellement, tout le temps, j'avais fait semblant de ne pas le remarquer. On m'eût bien étonnée, à ce moment, si on m'était venu dire que cet uniforme ponceau serait un jour le mien.

« — Aurore, me dit l'Impératrice, voici mon cousin « Rodolphe, grand-duc de Lautenbourg-Detmold, qui « sollicite la faveur de vous faire valser. »

« Il dansait abominablement, ce hussard rouge, tout en se donnant beaucoup de mal. Il crut devoir s'en excuser. Je lui répondis à peine et ne le remerciai même pas, quand la valse prit fin. Il revint prendre sa place derrière l'Impératrice, essuyant de temps en temps son binocle, avec un air si malheureux qu'il aurait attendri des pierres.

« Le lendemain, j'appris avec joie qu'il y aurait deux jours après une chasse au renard. Comme je me félicitai d'avoir emmené Tarass-Boulba, mon méchant petit cheval barbe! J'allais le voir à la caserne de nos cosaques. Il avait été tellement insupportable qu'on l'avait mis tout seul dans une écurie dont il avait à moitié démoli la porte en ruant dedans.

« Quand il m'aperçut, il hennit de plaisir, et eut tôt fait d'avaler le sucre que je lui avais apporté.

« — Mon fils, lui dis-je en passant la main dans sa « longue crinière embroussaillée, il va falloir être à « la hauteur. Nous allons tous les laisser derrière, pas « vrai? »

« Il me fit amicalement signe qu'il avait compris, et je sortis pour aller essayer mon amazone.

« En rentrant, je trouvai papa, qui avait un air grave et ravi. J'ai toujours eu horreur des surprises. Ce sont immanquablement des choses désagréables.

« Je voyais que papa ne savait par où commencer, ce qui acheva de me rendre méfiante.

« — Dépêchez-vous, lui dis-je, il faut que j'aille « m'habiller.

« — Ma fille, me dit-il, j'ai à te parler sérieusement.

« — Ce n'est pas une raison pour ne pas vous « dépêcher.

« — Ma fille, cela te déplairait-il d'être reine?

« — Reine de quoi?

« — De Wurtemberg. »

« On a beau avoir été élevé chez les sauvages, on connaît son Gotha. Aussi je demandai à papa s'il avait l'intention de me faire épouser le roi de Wurtemberg, qui avait alors soixante-deux ans.

« — Ce n'est pas Sa Majesté le roi de Wurtemberg, « qui m'a fait l'honneur de me demander ta main, « c'est Son Altesse le grand-duc de Lautenbourg-« Detmold. »

« Papa, qui est prince pourtant, avait la bouche si pleine de cette Majesté, de cette Altesse, que j'en fus exaspérée.

« — Quoi! criai-je. Celui qui a l'air d'un homard « au safran? Jamais de la vie.

« — Soyons sérieux, dit mon père.

« — Jamais de la vie, répétai-je en frappant du « pied. D'ailleurs je ne vois pas le rapport qu'il y a « entre ce myope roux et la couronne de Wurtemberg.

« — Il y a, dit mon père doctoralement, que le roi « Albert de Wurtemberg n'a pas d'enfant, qu'il a « soixante-deux ans, comme tu l'as très bien dit, le « diabète, et que le grand-duc de Lautenbourg est son « héritier.

« — Je m'en contrefiche, répliquai-je. Je préférerais « épouser Kounine, et puis, je ne veux pas me marier. »

« Papa commençait à se fâcher. Il me raconta toute

une histoire. Rodolphe de Lautenbourg était amoureux fou. Il avait parlé à l'Impératrice, sa marraine, qui avait parlé au Kaiser, qui avait parlé au Tsar, qui venait de lui parler. De telles propositions, nonobstant ce qu'elles ont de flatteur, sont presque des ordres, et...

« — Et, vous avez dit oui avant de me consulter? « éclatai-je.

« — Pas tout à fait, répondit-il avec embarras, mais « enfin, je n'ai pas pu ne pas remercier, accepter...

« — Accepter quoi?

« — Accepter, oh! quelque chose qui n'engage à « rien, que le grand-duc soit ton cavalier dans la « chasse au renard d'après-demain.

« — Si ce n'est que cela, dis-je, vous pouvez compter « sur moi pour dégoûter cet Allemand de venir cher- « cher une héritière en Russie.

« — Promets-moi d'être convenable, supplia mon « père alarmé. Tu commences à me faire regretter la « liberté que je t'ai toujours laissée. Songe que c'est « d'une couronne royale, ni plus ni moins, qu'il « s'agit. »

« Une couronne royale! Voir sa fille reine! Il n'avait que cela en tête, le vieux Kalmouk.

« Le soir, au moment de monter en voiture pour la représentation de gala, je compris que papa s'était laissé engager beaucoup plus avant qu'il n'avait osé me l'avouer.

« — Voilà donc notre petite fiancée », dit le Kaiser en me prenant la main.

« L'impératrice, plus poule couveuse que jamais, m'embrassa sur le front. Il paraît que c'est un tic de famille.

« Il n'y eut pas jusqu'au Tsar qui ne se crut obligé d'ajouter, avec son pâle sourire, en s'adressant à Guillaume II :

« — Il ne te suffisait donc pas de m'inonder de tes « sujets? Voilà, maintenant, que tu viens me prendre « mes sujettes! »

« Moi, je souriais d'un air candide, mais je regardais à la dérobée mon hussard rouge, qui ne savait où se mettre, et je me disais :

« — Attends, mon bonhomme! Tu paieras tout « cela après-demain. »

*

« Le surlendemain arriva. Je n'avais qu'une peur, c'était que la chasse eût lieu dans un terrain trop peigné, trop ratissé. Je fus vite rassurée. Il y avait bien de grandes allées dans la forêt, certes, pour les dames, mais, à côté, des taillis bien épais, des ruisseaux, et, de-ci, de-là, quelques bonnes petites fondrières.

« Tarass-Boulba, à qui j'avais administré avant de partir une demi-livre de sucre humecté de whisky, était guilleret, mais très digne.

« Je mentirais, si je cachais que son apparition excita des exclamations. Le Kronprinz me demanda pourquoi je ne l'avais pas fait raser.

« — Laisse-les dire, vieux camarade », murmurai-je à mon petit cheval.

« Il comprenait, et secouait la tête d'un air goguenard.

« Le grand-duc Rodolphe était venu se mettre à mon côté. Je fus tellement aimable que le pauvre garçon, enhardi, me dit à voix basse :

« — Cela ne vous déplaît donc pas, mademoiselle, « que je sois votre cavalier?

« — Avez-vous pu le croire, monsieur? répondis-je. « Cette cour est assommante. On n'est jamais tranquille. « Ici, on respire, on a l'espace. Nous pourrons causer.

« — Vous aimez la nature! murmura-t-il, transporté. « Que je suis heureux! »

« Moi aussi, j'étais très contente, je sentais qu'il ne me quitterait pas d'une semelle.

« On lança le premier renard. Il n'y eut pas d'incident notable, si ce n'est que Tarass-Boulba, mis en gaieté par le bruit du cor, esquissa un pas de polka et vint poser ses pieds de devant sur la croupe de la jument d'Adalbert, qui faillit être désarçonné. A partir de ce moment, on se gara comme de la peste de mon petit barbe.

« Le grand-duc de Lautenbourg montait un de ces chevaux chers aux Allemands, un grand bai brun, avec des jarrets gros comme des jambonneaux, et un dos aussi large qu'un billard. De plus, j'eus vite fait de voir que ce vilain animal était dur de la bouche et galopait la tête entre les jambes.

« — Pauvre ami, pensais-je, tu vas rire, tout à « l'heure en sautant les fossés. »

« Le deuxième, puis le troisième renard furent abattus sans encombre. Tout à coup, le quatrième déboula entre moi et le grand-duc. Je le vis, maigre, presque sans queue. Je compris que c'était le bon.

« — A nous! » criai-je à Rodolphe.

« Il éperonna son grand carcan qui prit le galop de charge.

« Le renard était à cent mètres en avant.

« Brave petite bête! Il nous conduisait droit aux fourrés.

« De temps en temps, le grand-duc se retournait :

« — Je ne vais pas trop vite? Vous pouvez me « suivre? demandait-il, haletant.

« — Allez, allez », répondais-je.

« Et Tarass-Boulba reniflait comme pour dire : « — Vas-y, vas-y. »

« Cette fois, c'était la pleine forêt. Alors, je touchai simplement le cou de mon barbe et lui lâchai les rênes. En une minute le grand-duc était dépassé.

« J'entrevis sa figure rougeaude, essoufflée... Il était maintenant à un quart de verste derrière moi.

« Tarass-Boulba, sur mon ordre, ralentit.

« — Vous m'avez fait peur, dit le pauvre garçon « en me rejoignant. J'ai cru votre cheval emballé.

« — Attention! » lui criai-je.

« Un ruisseau s'ouvrait sous mes pieds. Il le franchit tant bien que mal. Devant nous, dans une petite plaine rase, en pente, avec trois chiens à ses trousses, le renard filait.

« De nouveau les fourrés. J'étais baissée sur l'encolure et ne recevais à la figure aucune des branches où la tête de Tarass-Boulba faisait des trouées brusques, sitôt refermées. Mais mon pauvre compagnon avait déjà la figure en sang. Un petit chêne lui enleva son lorgnon. Je le sentis désemparé. Le gros cheval soufflait comme une cornemuse.

« — Hardi, criai-je, le renard se fatigue! » et je touchai Tarass-Boulba de l'éperon.

« Le petit cheval n'aime pas ces plaisanteries. Il fit un bond énorme. Derrière, l'autre suivait péniblement dans un bruit effrayant de branches cassées.

« — Toi, me dis-je, tu commences à être rendu. Tu « rateras la prochaine. »

« La prochaine se présenta bientôt sous la forme d'une fondrière large de quinze pieds, profonde d'autant, avec des bords mal définis, traîtres en diable. Une seconde, je me demandai même si Tarass-Boulba, avec la course qu'il venait de fournir, en viendrait à bout. Mais, baste, s'enlevant comme une hirondelle, il avait déjà, mon brave petit cheval, franchi l'obstacle.

« Alors, je me retournai, sûre de ce qui allait arriver.

« C'était fait. Avec fracas, cheval et cavalier s'étaient abattus. Le premier avait manqué le bord, des deux pattes de derrière, envoyant l'autre à terre, sans ménagements.

« Je sautai sur le sol et m'approchai du grand-duc, avec la vague crainte d'avoir poussé un peu loin la plaisanterie.

« — Vous ne vous êtes pas fait mal? m'écriai-je.

« — Je ne crois pas, murmura-t-il faiblement. J'ai « eu si peur pour vous, en vous voyant vous élancer « par-dessus ce maudit fossé. »

« Pauvre diable! j'eus envie de lui demander pardon.

« — Voulez-vous que je vous aide à vous relever? « dis-je, un peu confuse.

« — Je veux bien. »

« Mais ce fut vainement que j'essayai de le mettre debout.

« C'est alors que je m'aperçus de sa pâleur.

« — Vous avez la jambe droite cassée, m'écriai-je.

« — Oh! je ne pense pas, dit-il avec sa douceur « désarmante, une entorse, tout au plus.

« — Je vous dis que c'est la jambe qui est cassée, « je m'y connais. »

« En même temps, de mon poignard de chasse, je fendis la botte. La jambe apparut, ballante.

« — Nous voilà propres, pensai-je, à six verstes au « moins de la chasse. »

« Lui ne disait plus rien, me regardant avec ses bons yeux d'une infinie douceur. On aurait dit qu'il était heureux.

« — Merci, murmura-t-il même.

« — De quoi? éclatai-je. Je vous ai cassé la jambe « et vous me remerciez! Attendez au moins que je « vous aie tiré d'affaire. »

« Il dit d'un air contrit :

« — Vous pouvez rentrer, et m'envoyer les piqueurs.

« — C'est cela! dis-je furieuse. Arriver là-bas, sans
« le renard, et quand on me demandera où est le
« grand-duc Rodolphe, je répondrai : Je l'ai laissé, au
« fond d'un trou, avec une jambe en petits morceaux.
« Non, monsieur!

« — Comme vous voudrez, dit-il faiblement. Mais
« je ne sais pas bien comment vous vous y prendrez.

« — Vous allez voir. »

« Le grand carcan était à quelques pas, broutant bêtement, sous l'œil goguenard de Tarass-Boulba.

« — Viens ici, sale bête! »

« Quand je l'eus emmené, je compris que je n'aurais jamais la force d'y hisser le grand-duc.

« — Quelle idée de prendre des chevaux hauts
« comme des échafaudages! » dis-je, rageuse.

« Le blessé me regardait, avec son air perpétuel de s'excuser, qui finissait par être exaspérant.

« — Tarass-Boulba! » appelai-je.

« Le petit barbe vint, mais en rechignant. Il se méfiait de ce qui allait lui arriver.

« Rodolphe de Lautenbourg ne put réprimer un mouvement de crainte.

« — Vous allez me hisser sur cet animal? murmura-
« t-il. J'aimerais autant rester ici.

« — Jamais, répétai-je en frappant du pied. Et puis
« Tarass-Boulba est doux comme un mouton. Tenez-
« vous bien. »

« Il était lourd, cet Allemand. Mais je l'enlevai tout de même et le fixai solidement sur la selle avec les rênes.

« Je montai moi-même sur le grand carcan.

« Vous pensez si, en revenant, je me traitai de sotte. Je n'avais réussi qu'à rendre pitoyable celui que je voulais haïr. Et puis, il y avait le regard étonné de

Tarass-Boulba qui achevait de me mettre hors de moi :

« — Qu'ai-je donc fait, avait-il l'air de dire, pour « que tu me donnes à porter un Allemand, et pour me « préférer ce vilain cheval brun, sans crinière, et qui a « les sabots plus larges que des poêles à frire? »

*

« Il ne faut jamais casser les jambes des gens que l'on ne veut pas épouser. Je n'ai guère besoin de vous raconter ce qui arriva. Des numéros comme moi ne sont liés que par leurs actes, et je fus liée par mon sauvetage, alors que tous les kaisers du monde n'y auraient pu arriver.

« Ce fut une scène sensationnelle que mon retour sur le bai brun, suivi de Tarass-Boulba portant son grand-duc en bandoulière. La chasse fut arrêtée. On s'empressa. Je dus raconter l'histoire, ce que je fis avec le plus de brièveté possible, comme les choses dont on ne se sent pas très fier. Mais le blessé y ajouta force détails. Sa fièvre le rendait éloquent et me transformait en héroïne. J'eus à subir les félicitations de toute la cour.

« Le Kaiser, qui voit faux et grand, proclama :

« — Elle est adorable, cette enfant, qui le premier « jour trouve moyen de sauver la vie à son fiancé. »

« L'Impératrice m'embrassa. C'est un tic de famille. Mon père était aux anges.

« — Tous mes compliments à Votre Majesté », vint-il me dire à l'oreille.

« J'étais furieuse et souriante. Ma rage se passa sur Tarass-Boulba qui eut plus de coups de cravache, en rentrant au palais, qu'il n'en a reçu depuis.

« J'ai une qualité. J'aime les situations nettes. Consciente que, en grande partie par ma faute, j'étais désormais engagée de façon à ne plus pouvoir me libérer sans un de ces scandales auxquels toute princesse digne de ce nom répugne plus qu'à la certitude d'être malheureuse, je résolus de poser le soir même mes conditions à celui que la Cour appelait déjà mon fiancé.

« Je le priai de me recevoir, ce qu'il fit immédiatement, après avoir renvoyé le poseur de gouttière.

« Quand nous fûmes seuls, voilà à peu près comme je lui parlai :

« — Monsieur, ma démarche vous étonnera peut-
« être. Mais j'ai et conserverai toujours l'habitude de
« faire ce que je juge utile, sans m'inquiéter de savoir
« si c'est convenable. Or, je juge au suprême degré
« utile de vous dire ceci :

« Je suis venue à Pétersbourg, pour accompagner
« papa, pour voir de belles fêtes, m'amuser en un mot,
« non pour y trouver un mari. Des maris, j'en ai refusé,
« vous me ferez l'honneur de me croire, autant qu'il y
« a de provinces en Russie, et le dernier était un
« prince persan, possesseur d'une montagne où les
« émeraudes se trouvent avec la même facilité que les
« truffes en Périgord, et y sont plus grosses.

« Or, j'arrive ici. Je ne sais pas ce qui leur prend à
« tous. Bref, voilà qu'il faut me marier. Ce que je vous
« dis n'est pas pour vous désobliger. Mais enfin, mon-
« sieur, nous ne nous étions jamais vus il y a trois
« jours.

« Quoi qu'il en soit, je suis à peu près dans l'obli-
« gation de vous épouser. Les circonstances dépassent
« l'homme que vous êtes et la fille que je suis. Il y a
« dans notre histoire quatre empereurs et impératrices,
« des couronnes, sans doute des budgets à équilibrer;
« je sens que papa fera une maladie si je ne suis pas
« reine, maintenant qu'il en a vu la possibilité. En
« outre, je vous ai cassé la jambe. »

« Il fit un geste : ne parlons pas de cela.
« — Parlons-en au contraire, puisque, je vous le « dis carrément, c'est cet accident dont je suis cause « qui m'aura si vite déterminée à accepter une chose « dont hier encore je ne voulais pas entendre parler. « Grâce à lui je me donne l'impression de ne pas faire « tout à fait un mariage de raison, ce qui, pour une « fille de ma qualité, est assez agréable.
« — C'est l'autre jambe, et les bras, que je voudrais « avoir brisés, dit-il avec une tristesse douce, pour ne « pas vous entendre prononcer ce mot affreux, « mariage de raison.
« — Je conclus, dis-je sans m'émouvoir. J'accepte « d'être votre femme. Mais vous trouverez bon que j'y « mette une ou deux petites conditions.
« — Parlez, parlez, dit-il avec force. Vous savez « que tout ce que vous demanderez est accordé « d'avance.
« — Oh! oh! dis-je en souriant. Vous trouverez « peut-être tout à l'heure que vous êtes allé un peu « vite. Eh bien, mon cher ami (j'insistai sur ce mot), « j'ai joui dès mon enfance de la plus grande liberté. « et je prétends ne pas l'aliéner en me mariant. Je veux « qu'il soit entendu que rien n'y soit changé, rien, « entendez-vous.
« — Comment pouvez-vous croire!...
« — Ne vous méprenez pas vous-même sur le sens « des mots, dis-je. Admettez que ce n'est pas une jeune « fille qui vous parle, ni une femme, et comprenez « que ma condition est que notre union doit être, « selon mon inflexible volonté, un pacte d'amitié, « exclusif de toute autre chose. »
« Je ne sais pas si j'aurais continué à me bien tirer de ma petite allocution scabreuse, si sa balourdise masculine ne m'en avait fourni le moyen.

« — Vous aimez quelqu'un! dit-il d'une voix rauque.

« — Soyez convenable, et surtout ne dites pas de « bêtises, répliquai-je doucement. Je consens à vous « dire que je n'aime personne, si ce n'est — puisque « ce mot aimer est un Maître Jacques — mon pays « natal, la chasse, papa, les fleurs, qu'on me fiche la « paix, et deux ou trois autres choses qui ne peuvent « réellement porter ombrage à une jalousie regrettable « à constater chez un homme intelligent. Etes-vous « satisfait? »

« Il eut un pâle sourire.

« — Ceci, repris-je, c'est notre petit sous-seing privé. « Les chancelleries s'occuperont des actes publics, de « tout. Je m'en moque, et j'espère que vous aussi. « Je n'ai pas besoin d'ajouter que vous aurez en moi « une compagne toujours digne de vous à la hauteur « des circonstances, quelles qu'elles soient, et capable, « si Dieu en décide ainsi, de porter comme il faut cette « fameuse couronne de Wurtemberg. Là-dessus, voici « ma main. »

« Il la prit et la baisa avec ferveur. Dans ses yeux, la joie avait remplacé la fièvre. Je n'en revenais pas de lui avoir si facilement passé le lacet. Puis, soudain, je compris son raisonnement : « Je serai si bon, si « prévenant pour elle, si aimant, qu'il faudra bien, au « bout d'un temps que je ne veux même pas prévoir, « qu'elle finisse par en être touchée. »

« Il y avait tellement de naïveté dans cette pensée de pauvre hère, que je ne pus m'empêcher d'en être un peu émue. Nous nous quittâmes les meilleurs amis du monde.

« En regagnant mes appartements, j'entendis un vacarme du diable dans la cour d'honneur. C'était Tarass-Boulba qui, s'ennuyant dans sa cellule, avait défoncé la porte, assommé un palefrenier, deux sentinelles, et m'appelait en bas avec des hennissements terribles. J'eus beaucoup plus de peine à le convaincre de se tenir tranquille que je venais d'en avoir avec le grand-duc Rodolphe.

*

« La première chose dont je m'occupai dès l'automne de 1909, lorsque je fus devenue grande-duchesse de Lautenbourg-Detmold, fut d'apporter ici les améliorations nécessaires pour avoir une demeure à peu près confortable. Les jardins étaient tenus à la va-comme-je-te-pousse, et quant au palais, il était rempli d'une collections d'horreurs dont n'aurait pas voulu un roi nègre.

« J'eus tôt fait de mettre bon ordre à tout cela.

« Mélusine, qui arriva vers l'été de 1910, peut te dire que ma vie était alors à peu près la même qu'aujourd'hui, sauf qu'à cette époque, quand le spleen me prenait, je pouvais filer en Russie me désankyloser les méninges.

« Qui changea, par exemple, ce fut le grand-duc Rodolphe. Non qu'il se soit jamais départi envers moi des attentions les plus touchantes, le pauvre homme! Mais, au bout d'un an, quand il se fut bien rendu compte que son innocent petit calcul ne prenait pas, ne prendrait jamais, que je serais toujours pour lui ce que je lui avais dit, et rien de plus, il devint sombre, ne sortit plus. A Lautenbourg, on ne l'appela plus que Rodolphe le Taciturne.

« Pis que cela, il se mit mal avec le Kaiser. Guillaume II se croit un type dans le genre de Louis XIV. Il en veut aux princes allemands qui ne viennent pas faire la roue à Berlin, et les accuse de séparatisme. Or, Rodolphe ne mettait plus les pieds à la cour.

« A Lautenbourg, il ne voulait plus voir personne. Le 7e hussards était privé de son colonel. Les moitiés de ses journées et de ses nuits, il les passait dans la bibliothèque, à compulser des ouvrages de minéralogie, sa science favorite. Il y passa tout son temps, lorsque M. de Boose fut arrivé ici.

« Mélusine l'a connu, ce Boose, dont le nom te fait tressaillir. Dis-lui, Mélusine, qu'il n'y avait pas de plus exécrable joueur de bridge. Il ne connaissait que l'ordinaire, et ne voulut jamais se mettre même à l'opposition. Pour les enchères, il n'y fallait pas penser. J'avais prié le grand-duc de nous le prêter, pour faire le quatrième, mais il était si maladroit et si malhonnête que j'eus tôt fait de le renvoyer à ses chères études.

« Il était très savant, c'est une justice à lui rendre. Figure-toi bien qu'à trente-deux ans, simple lieutenant du génie, il était professeur de topographie à la *Kriegs Akademie*. Son livre, *L'Architectonique de la Plaine hanovrienne,* est apprécié partout en Europe. Un jour, à Berlin, il souffleta un commandant major qui prétendait qu'il y a dans le Harz des terrains d'origine quaternaire. Rodolphe, qui admirait ses travaux, alla témoigner pour lui devant le conseil de guerre. C'est bien grâce à son intervention qu'il n'eut que soixante jours d'arrêts de forteresse. A l'expiration de sa peine, mon mari obtint qu'il fût nommé au bataillon du 3e génie, à Lautenbourg.

« Au printemps de 1911, j'allai en Russie, chez papa, pour y passer les fêtes de Pâques. Ce fut là que je reçus du grand-duc Rodolphe la lettre que j'ai dû te montrer. Il me disait que le Kaiser l'avait fait appeler et lui avait demandé s'il ne consentirait pas à mettre au service de l'Empire ses connaissances scientifiques. Des recherches venaient d'établir l'existence au Cameroun d'immenses richesses minières. Il était utile de les mieux constater, et aussi de vérifier, avec toute la discrétion possible, les ressources minéralogiques des territoires limitrophes, afin de savoir si l'Allemagne aurait un véritable intérêt à se les annexer. Ces territoires, mon enfant, je regrette de te le dire, c'est la portion de Congo que la France a cédée à l'Allemagne par le traité de 1912.

« Rodolphe partait donc pour là-bas avec Boose. Il s'excusait, avec une froideur mal jouée, de quitter l'Europe, vu l'urgence des instructions impériales, sans m'avoir revue, ajoutant que s'il se permettait d'en user ainsi, c'est qu'il était certain que son voyage n'aurait aucune influence sur le cours normal de mon existence. En quoi il se trompait bien, le pauvre ami.

« De Paris, de Bordeaux, de Saint-Louis du Sénégal, je reçus ses lettres. Puis, du Congo, deux ou trois, celles que je t'ai montrées. Puis, un laps de temps assez long, puis, un jour, mon beau-frère Frédéric-Auguste arriva à Lautenbourg, porteur de la triste nouvelle. Le grand-duc, frappé d'insolation, était mort à Sangha, presque au terme de son voyage. Sa parole ultime avait été mon nom.

« Mélusine te le dira, j'ai pleuré Rodolphe, et non vraiment comme, s'il mourait demain, je pleurerais Tarass-Boulba. Je n'ai jamais eu de tort envers ce cheval. Vis-à-vis de Rodolphe, j'ai toujours été franche et loyale, et pourtant j'avais l'impression que j'étais pour quelque chose dans sa mort.

« A celui qui repose là-bas, sous la glaise craquelée par l'immense soleil blanc, je fis faire, à défaut de funérailles, un magnifique service. Le Kaiser, l'Impératrice, tous les princes allemands y assistaient. Les hussards rouges de Lautenbourg, un crêpe à leur sabre, rendaient les honneurs, et leur uniforme, pendant l'office religieux, me faisait songer au pauvre hussard rouge de Péterhof, qui dansait si mal, et était si bon.

« Chaque phrase de ce récit, ami, t'a donné la marque de la confiance que j'ai mise en toi. Tu vas maintenant en trouver la preuve dans chacun des mots qui suivront.

« Tu connais, et tu ne l'aimes pas beaucoup, Hagen, mon petit officier d'ordonnance. Je ne sais ce qui prévaut en lui, du dévouement ou de l'amour. Le dévouement nous permet de nous reposer de tout sur un être, mais l'amour lui donne, à l'égard de notre propre intérêt, des lucidités que nous n'avons pas.

« Ni moi, ni Mélusine, six mois après la mort de Rodolphe, ne nous doutions de ce qui allait m'arriver. Astreinte à mes devoirs de souveraine, je m'en acquittais avec une ponctualité qui me surprenait. J'ai présidé la diète et les assemblées; j'ai signé des décrets, évoqué des litiges, nommé des fonctionnaires, à la satisfaction de tous, je crois. Et jamais la ville de Lautenbourg n'a été mieux tenue que pendant mon principat.

« Hagen se méfiait, lui. Je le voyais chaque jour plus sombre. A la fin, détestant avoir autour de moi des figures longues d'une aune, je le sommai de s'expliquer, ou de partir en convalescence. Il tomba à mes pieds.

« — Comment ne serais-je pas comme je suis, san-
« glota-t-il, quand vous allez appartenir à un autre? »

« Il n'en revenait pas, lorsque je lui affirmai que je ne comprenais rien à ce qu'il disait.

« — Est-ce possible, murmura-t-il, mais à Berlin,
« et même ici, il n'est bruit que de votre prochain
« mariage avec le duc Frédéric-Auguste. »

« Cette fois, c'était trop fort. La personne que je me pique d'être, on peut la marier une fois, par surprise, mais deux!

« Quand Hagen, qui allait plusieurs fois par mois

à Berlin, m'eut raconté son histoire, je compris néanmoins que c'était sérieux. Je le compris mieux le lendemain, quand je reçus une lettre de mon père. Il était trop visible qu'on l'avait amplement cuisiné, le prenant par son côté faible, l'élévation de sa fille à la couronne royale.

« Quel ennui d'entrer, pour te faire saisir ce qui suit, dans des détails dynastiques! Qu'ils soient les plus brefs possible. Pourquoi étais-je devenue grande-duchesse de Lautenbourg? Pour être, selon le désir de papa, reine de Wurtemberg, à la mort du roi Albert. La succession à Lautenbourg n'est pas réglée par la loi salique, c'est-à-dire que, Rodolphe mort, je n'en restais pas moins grande-duchesse. Mais l'accession au trône de Wurtemberg, elle, est réglée par cette loi. Résumons-nous : seul un grand-duc de Lautenbourg pouvait devenir roi de Wurtemberg. C'est-à-dire que, pour être reine de Wurtemberg, il me fallait d'abord transformer, en l'épousant, le duc Frédéric-Auguste en grand-duc de Lautenbourg-Detmold.

« La lettre de papa n'avait d'autre but que de me disposer à cette union.

« Je crois que, dans la réponse que je lui fis sur-le-champ, j'oubliai un peu le respect qu'une fille doit malgré tout à son père.

« Mais il faut comprendre que j'étais exaspérée. Est-ce que j'allais être forcée d'épouser ainsi toute l'Allemagne? Quelle fortune pour quelqu'un qui n'aurait voulu jamais se marier!

« Une semaine passa, peut-être, au bout de laquelle je reçus une lettre de l'Impératrice. Elle m'appelait sans doute sa chère enfant, m'y prodiguait les amabilités les plus flatteuses, mais enfin l'invitation de venir à Berlin que contenait cette lettre était bel et bien un ordre...

« Tu penses que, si j'y obéis, ce fut moins par docilité que par désir d'être fixée sur ce qui pouvait se tramer à la cour à mon endroit.

« J'emmenai avec moi Mélusine et Hagen. L'Impératrice me reçut avec l'air embarrassé que j'avais prévu, et ses explications s'en ressentirent. Ai-je besoin de te les rapporter?

> L'amour ne règle pas le sort d'une princesse.
> La gloire d'obéir est tout ce qu'on lui laisse.

« L'amour! Obéir! A quoi m'eût servi de lui objecter que son raisonnement était faux, que je n'avais jamais aimé quelqu'un et qu'en tout cas ce n'était pas pour obéir que je m'étais mariée une première fois? Le pauvre Rodolphe n'était plus là pour révéler notre petit sous-seing privé, qui me dispensait précisément de ces deux choses. Et puis, à quoi bon discuter avec une brave femme qui récitait sa leçon?

« Je l'écoutai les dents serrées, sans mot dire. Quand elle eut fini, après s'être bien empêtrée :

« — Puis-je demander à Votre Majesté la date à
« laquelle est fixé mon mariage avec le duc Frédéric-
« Auguste? »

« Elle se récria, affirmant qu'il n'avait jamais été dans l'idée du Kaiser de brusquer les choses, qu'aucune date n'était arrêtée.

« — C'est seulement le principe qui l'est », dis-je.

« Elle ne répondit pas.

« Je rentrai chez moi, très calme.

« — Je pars ce soir pour Astrakan, dis-je à Mélu-
« sine et à Hagen qui m'attendaient avec anxiété.
« Faites refaire mes malles. Qui m'aime me suive. »

« Hagen me tendit le courrier qu'on m'avait expédié de Lautenbourg. Parmi cinq ou six lettres, il y en avait une timbrée de Russie. Je reconnus l'écriture de papa.

« Ah! ils avaient bien profité de mon insouciance! J'ai su plus tard que la lettre que je lui avais écrite une quinzaine de jours auparavant avait été précédée par un envoyé spécial du Kaiser. Il n'avait pas eu besoin de beaucoup de diplomatie pour convaincre mon père. La fameuse couronne de Wurtemberg avait encore joué son rôle. En termes très mesurés, mais inflexibles, papa me dictait sa volonté : épouser Frédéric-Auguste, sinon...

« Je n'en pus lire davantage, je déchirai la lettre en mille morceaux; sur-le-champ, je rédigeai un télégramme, une trentaine de mots suppliants, menaçants, fous, à l'adresse du prince Tumène.

« Tu te souviens, Mélusine, nous craignîmes le cabinet noir de Berlin. Tu pris le train, et tu allas déposer cette dépêche à Kœpenick.

« Toi partie, c'en était trop, je fondis en larmes. Larmes d'orage, larmes de rage. Je me vois encore dans cette horrible chambre berlinoise. Hagen, à mes pieds, sanglotait. Il avait pris mes mains, même mes bras, ma parole, et les couvrait de ses pleurs et de ses baisers : « Où vous voudrez, quand vous voudrez, « murmurait-il, je partirai, je vous suivrai. » Somme toute, je suis assez fière de penser qu'il n'a tenu qu'à moi de faire renier son armée, son pays, à un officier prussien.

« Mais vite, le contact de cette moustache sur mon bras me rendit au sens de la réalité. Je songeai à Louise de Saxe, aux ignobles tziganes qui tirent argent de la célébrité que leur ont conférée les étreintes d'une reine. Je repoussai l'innocent Hagen et redevins maîtresse de moi.

« Les deux jours que j'attendis la dépêche, je ne sortis pas. Enfin, il arriva, le petit papier bleu. Tu me regardais, Mélusine, aussi je le décachetai en souriant. Il contenait ces simples mots :

Je ne reverrai ma fille que lorsqu'elle aura accompli son devoir.

« Ah! il était dur, le vieux Kalmouk!

« Je lus, et je tombai sur le tapis de la chambre, raide.

*

« Je sais, ami, qu'ici, il faut que je m'arrête pour t'expliquer des choses, sans quoi tu risquerais de ne plus rien comprendre. « Comment, te dis-tu sans doute, « tout a-t-il été agencé de façon telle qu'une volonté « comme celle d'Aurore ait dû fléchir? Comment a-t-il « fait, ce Frédéric-Auguste, invisible et puissant, pour « avoir mis ainsi l'Impératrice, marraine de Rodolphe, « et le Kaiser dans sa poche? »

« Tu as lu, je pense, vers 1909, suffisamment les journaux pour savoir à peu près qu'il y eut, à cette époque, une affaire Eulenbourg, un procès Moltke-Harden, qui mirent la cour allemande en assez grand désarroi. Personnellement, la manière qu'eurent ces gens de se distraire entre eux m'importe peu. Ce que je trouve excessif, c'est que ces histoires aient eu une répercussion sur ma vie.

« Frédéric-Auguste, du vivant de son frère, séjournait peu à Lautenbourg. Je ne l'y ai guère vu que trois ou quatre fois, dont une pour mon mariage, et l'autre quelque six mois plus tard, pour l'enterrement de sa femme, une brave sotte qui avait des poignets de récureuse de vaisselle. Ton élève sérénissime n'est guère plus intelligent qu'elle.

« Le reste du temps, il était à Berlin. Cet homme que tu as vu si correct et si froid y menait une vie joyeuse. Ami, ne crois jamais les gens qui te diront que la débauche est nuisible. La fortune de Frédéric-Auguste est la preuve du contraire.

« Ce que le grand-duc actuel possède au suprême degré, c'est l'art de compromettre les autres sans se compromettre. Il s'en est bien servi, en 1909, à Berlin. Intime des Bülow, familier d'Eitel et de Joachim, lui seul peut dire les petits spectacles auxquels alors il assista. Mais il ne te le dira pas, mon ami, comme il ne me l'a pas dit, car ni toi ni moi ne posséderons jamais de quoi payer assez cher sa confidence. Rien que son silence lui a valu la grande couronne ducale et lui donnera peut-être demain la couronne de Wurtemberg. Quand, avec des trémolos, l'Impératrice me prêchait la soumission à ma destinée, elle ne faisait la brave femme, que défendre l'honneur de deux de ses fils.

« La fièvre cérébrale que me causa la dépêche de mon père dura un mois, pendant lequel je fus entre la vie et la mort, pendant lequel, avec un dévouement que je n'oublierai pas, Mélusine et Hagen se relayèrent, nuit et jour, auprès de moi.

« Enfin, j'entrai en convalescence. On m'avait coupé mes cheveux. J'étais maigre, mais jolie encore. Un jour que je regardais dans mon miroir la drôle de figure que me faisaient, à la hauteur de la nuque, mes petites boucles blondes, Hagen, dont c'était le tour de garde, vint m'annoncer le duc Frédéric-Auguste.

« J'étais encore assez malade pour ne pas le recevoir, mais il me tardait trop de me mesurer avec lui. J'avoue, à ma honte, que, ce jour-là, je n'eus pas le dessus.

« Il entra, et me salua avec cérémonie. Ses yeux bleus, dans son visage rasé et blême, étaient tour à tour ternes et brillants.

« — Je suis heureux, dit-il, ma chère sœur, de vous

« trouver enfin debout, et véritablement avec une
« excellente mine. »

« Une telle désinvolture me glaçait. Il continua :

« — Je n'ai aucune raison de ne pas vous dire tout
« de suite l'agréable objet de ma visite. Il y aura
« demain neuf mois qu'est mort le grand-duc Ro-
« dolphe, mon regretté frère. Le délai de viduité fixé
« par la loi expirant à cette date, Leurs Majestés l'Em-
« pereur et l'Impératrice seraient heureux que vous
« veuilliez bien fixer celle qui vous conviendra le
« mieux pour la célébration de notre mariage, car ils
« ont manifesté expressément l'intention d'y assister.

« — Vous direz, mon cher frère, répondis-je, à Leurs
« Majestés, que ma date sera celle qu'il leur plaira,
« en veuillant bien ajouter que ce sera, je l'espère, la
« dernière fois que j'aurai à leur imposer ce déran-
« gement. »

« Il s'inclina gravement.

« — C'est aussi, croyez-le, mon vœu le plus cher,
« ma chère sœur », dit-il.

« Et il sortit.

« Nous nous mariâmes un jour sombre de mars 1912.
L'Empereur et l'Impératrice, suivant leur promesse,
assistèrent à l'office religieux, puis repartirent dans
la soirée pour Berlin. Vers cinq heures, à l'Hôtel de
Ville, puis au château, les fonctionnaires et les magis-
trats prêtèrent serment entre les mains du nouveau
grand-duc. Puis, à huit heures, un dîner, intime vu
notre deuil récent, réunit les officiers supérieurs et les
dignitaires du Grand-Duché, en tout, une trentaine
de personnes, au rez-de-chaussée, dans la galerie des
Glaces.

« Le deuxième service venait à peine de commencer,
qu'un bruit, tour à tour sec et mou, retentit à l'étage
supérieur, au-dessus de nos têtes.

« On n'y prit d'abord pas garde. Mais le bruit continuait, flic-flac-flic-flac, avec une régularité désespérante.

« Le grand-duc, fronçant légèrement le sourcil, fit signe au laquais qui se trouvait derrière lui :

« — Qu'est-ce que ce bruit? demanda-t-il à mi-voix. « Allez, et faites-le cesser. »

« Au bout d'un quart d'heure, l'homme n'était pas revenu, et le bruit durait toujours.

« — Kessel, pour Dieu, s'écria le grand-duc, moitié « agacé, moitié souriant, tâchez d'aller voir ce qui « se fabrique sur nos têtes. Excusez-moi, messieurs », dit-il en s'adressant à nos convives.

« Kessel parti. Cinq minutes plus tard il reparaissait, très rouge. Le bruit s'était tu.

« — Eh bien, dit le grand-duc, qu'était-ce? »

« Kessel gardait le silence.

« — Voyons, commandant, reprit Frédéric-Auguste, « commençant à s'impatienter. Vous n'avez pas, je « présume, découvert là-haut un attentat. Je vous « somme de rassurer mes convives. Qu'y avait-il?

« — Des maçons, Altesse, murmura Kessel.

« — Des maçons! A cette heure! en ce jour! « c'est un peu fort. Et que faisaient-ils, ces maçons? « Ah! non, je vous en prie, monsieur de Kessel, parlez!

« — Ils sont en train, murmura l'officier avec effort, « de murer le corridor jaune. »

« Il y eut un silence glacial. Le corridor jaune était celui qui réunissait entre eux les appartements du grand-duc et de la grande-duchesse de Lautenbourg.

« Frédéric-Auguste est fort, ami. Je l'ai compris ce soir-là et je l'ai admiré quand, s'étant frappé le front d'un geste signifiant : c'est vrai, j'avais oublié, il donna cet ordre à un maître d'hôtel :

« — Vous aurez soin de veiller à ce que ces braves

« gens, qui doivent travailler toute la nuit, ne man-
« quent de rien. »

« C'est égal, j'étais heureuse, car je sentais bien qu'il y avait aussi de l'admiration dans le regard narquois qu'il m'adressa comme pour me dire :

« — Et maintenant, à nous deux. »

Aurore s'était tue. Il s'écoula quelques minutes de silence. Puis Mélusine, étant allée à la fenêtre, écarta brusquement les tentures. Alors nous vîmes qu'il faisait jour.

Je regardai la grande-duchesse qui, le coude sur un genou, le menton dans la main, rêvait. Nul ravage dans les traits, nulle flétrissure des chairs à la suite de cette totale nuit de veille.

L'aube froide retrouvait Aurore plus belle encore que le tiède crépuscule ne l'avait laissée.

VII

Il arrivait quelquefois, un ou deux soirs par semaine, que la grande-duchesse préférât rester seule. J'employais alors, à regret, ces soirs à travailler.

Mon étude sur les Kœnigsmark était bien délaissée. Je n'avais guère plus de goût à remuer cette poussière, depuis que le hasard m'avait convié à assister à un autre roman, dont les protagonistes vivaient autour de moi, me parlaient chaque jour.

Ce soir de juillet, que la fantaisie d'Aurore me laissait passer seul, il avait fait un grand orage. Par la fenêtre ouverte sur le ciel noir, j'entendais dans la nuit le bruit des arbres qui s'égouttaient. Je travaillais avec la plus extrême mollesse, l'esprit plus occupé des paysages où le récit de la princesse Tumène m'avait promené que du drame de l'*Herrenhausen,* et ce fut bien la chance la plus fortuite qui mit sous mes yeux la pièce capitale dont je vous vais parler.

Je vous ai décrit tout à l'heure, avec des détails qui ont dû vous paraître alors fastidieux, le dossier réuni par la reine de Prusse en vue de la réhabilitation de sa mère, Sophie-Dorothée. Ce soir-là, après avoir analysé deux ou trois documents d'importance secondaire, j'en arrivai à la pièce cotée : S. 2 — N° 87.

Elle comprenait deux grandes pages, recouvertes de caractères allemands, très serrés. Dès les premières lignes, ma nonchalance disparut. Mon attention se fixa. Je comprenais que je venais de mettre la main sur quelque chose de décisif.

Cette pièce relatait la confession d'un certain Bauer, mort garde-chasse au service du grand-duc de Rudolstadt, et qui avait été, vingt ans plus tôt, employé à l'*Herrenhausen*. A ses derniers instants, cet homme, catholique, fit demander à un prêtre de l'entendre en confession. L'ecclésiastique, qui avait ouï parler de l'enquête menée par la reine de Prusse, subordonna son absolution à l'établissement d'un procès-verbal mentionnant les événements auxquels avait été mêlé Bauer. C'est cette confession, revêtue des signatures du moribond, du confesseur et de deux témoins, que j'étais en train de déchiffrer.

On comprend qu'avec ce caractère d'authenticité, je lui accordai sur l'heure toute l'attention dont j'étais capable.

Bauer avait été des dix hommes qui prêtèrent la main à la comtesse de Platen, dans la tragique nuit du 14 juillet 1694, pour l'assassinat du comte de Kœnigsmark.

Sa confession établit comment, tandis qu'on attendait que le comte sortît de chez la princesse, la comtesse de Platen préparait du punch à ses hommes.

Il se défend d'avoir été parmi ceux qui l'assaillirent à coups de poignard et d'épée, mais il reconnaît l'avoir maintenu à terre, tandis que Mme de Platen, un pied sur son front, essayait de lui faire avouer qu'il avait été l'amant de Sophie-Dorothée.

Je connaissais la plupart de ces détails. Ils figurent même dans le livre de Blaze de Bury. Mais les suivants tranchaient définitivement la controverse célèbre sur la question de savoir ce qu'était devenu le corps du comte.

« Quand M. de Kœnigsmark fut bien mort, dit Bauer, Mme de Platen nous donna l'ordre de le porter devant la cheminée de la salle, qui a, au fond, une plaque en bronze de six pieds. Mme de Platen fit jouer un ressort. La plaque s'écarta, laissant apparaître une petite cellule. Je remarquai vaguement, car j'étais bien troublé, un tas blanchâtre qui me parut être de la chaux. C'est là que nous déposâmes le cadavre. Mme de Platen nous congédia alors, après nous avoir recommandé de laver le sang dont quelques-uns avaient des taches sur leurs habits. Elle resta seule dans la salle des Chevaliers avec son valet de chambre, un nommé Festmann... »

Vous voyez que j'avais mes raisons quand je vous ai dit, épisodiquement, que le cadavre de Kœnigsmark est caché dans la salle des Chevaliers, à l'*Herrenhausen*, derrière la plaque de la cheminée. Le document Bauer avait à mes yeux plus que le mérite de fixer de façon indiscutable cet endroit. J'y voyais en outre une preuve de la complicité soit d'Ernest-Auguste, soit de son fils. Retenez bien le point que Mme de Platen fit jouer une serrure à secret. Or, les princes allemands des XVIIe et XVIIIe siècles se montraient fort jaloux du secret de leurs serrures. Si ce secret fut confié à Mme de Platen, ce ne pouvait être que pour une besogne d'importance.

Je m'étais préparé, me mettant au travail, du café, dont j'avais bu coup sur coup trois grandes tasses. Le breuvage commençait à faire son effet, c'est-à-dire que, excité par une première découverte, mon esprit avait à ce moment la plus parfaite lucidité. Ce détail a son intérêt, je vous prie de le noter.

Découvrir quelque chose n'est rien, en établir l'exactitude est tout. Or, comment pouvais-je aller à Hanovre, demander l'autorisation de visiter l'*Herrenhausen,* rester dans la salle des Chevaliers assez de temps seul, car vous concevez bien que je n'avais nulle envie de mettre quelque conservateur du palais sur la piste que je venais d'éventer.

C'est alors que j'eus l'idée suivante, que je vous donne comme marque des bons services du café en matière déductive. J'avais, vous vous le rappelez, en étudiant l'histoire des artistes français employés par les princes allemands des XVIIe et XVIIIe siècles, trouvé que la partie serrurerie avait été confiée par l'électeur de Hanovre, Ernest-Auguste, à un artisan catalan, du nom de Giroud, qui avait également travaillé pour le grand-duc de Lautenbourg. Ce Giroud avait même eu, dans le règlement de comptes, des difficultés avec Ernest-Auguste. Je n'avais à cette époque jeté qu'un coup d'œil rapide sur le dossier le concernant. Il fallait le consulter par le menu. Peut-être y découvrirais-je quelque chose sur le système des serrures installées par lui à l'*Herrenhausen.* Je résolus d'en avoir sur l'heure le cœur net.

Il était un peu plus de minuit. Mettant dans ma poche une lampe électrique, je sortis de ma chambre doucement. Il me sembla à cet instant entendre un léger bruit dans le corridor désert. « Allons, pensai-je, si je me laisse ainsi surexciter par de vieux papiers!... »

En entrant dans la bibliothèque, j'eus la désagréable surprise de la trouver éclairée. M. le professeur Cyrus Beck y travaillait, ne s'arrêtant de couvrir de ses formules un tableau noir que pour consulter cinq ou six traités ouverts devant lui.

Mon entrée n'avait rien que de naturel; souvent il m'était arrivé de descendre très avant dans la nuit à la bibliothèque pour mettre au net quelque passage de ma leçon du lendemain. Il ne m'en regarda pas moins avec cet air de suspicion du savant qui croit toujours qu'on va lui voler quelque chose.

Deux ou trois mots aimables me le concilièrent vite. Il daigna me confier qu'il en était à un point décisif de ses expériences, et que sans doute demain, peut-être même ce soir... Par la porte entrouverte venait le bruit de ses fourneaux qui ronflaient comme des feux de cheminée.

Je jugeai inutile de lui dire que moi aussi, sur une question différente, j'en étais au même point que lui. Au bout d'un moment, d'ailleurs, il rangeait ses traités, pliait ses notes, effaçait ses formules et partait en me souhaitant une bonne nuit.

J'attendais ce départ avec impatience, car j'avais déjà trouvé ce que je voulais.

Avec une sûreté d'investigation qui m'étonna, dès l'abord, j'avais mis la main sur la pièce essentielle, une lettre facture de Giroud, datée de 1682, à l'adresse d'Ernest-Auguste.

Dans une longue énumération, j'y avais relevé tout de suite cette indication :

Pour la cheminée de la salle des Chevaliers, six serrures, à mon nom, à cent cinquante livres la serrure — ci... 900 livres.

Il ne fallait pas avoir une immense habitude des serrures secrètes pour comprendre de quoi il s'agissait. Le système est encore celui des coffres-forts Fichet et autres. Il y avait, dans la salle des Chevaliers, à l'*Herrenhausen*, sur la plaque de la cheminée, six serrures lettrées. On faisait jouer le ressort en prenant successivement, pour chaque serrure, chacune des six lettres dont se composait le nom de l'inventeur Giroud.

Si vous vous rappelez que ce Giroud était le serrurier du grand-duc de Lautenbourg, vous admettrez sans peine que ma première pensée ait été celle-ci : vérifier sur la plaque de la cheminée de la salle des Armures du château de Lautenbourg la justesse des raisonnements que j'avais été amené à faire pour la cheminée de la salle des Chevaliers du château de Hanovre, et vous concevez l'impatience avec laquelle je guettai le départ de Cyrus Beck.

Quand il fut enfin sorti, j'attendis un quart d'heure. Alors, j'éteignis l'électricité, ouvris la porte de droite de la bibliothèque, la refermant avec bruit, comme si je regagnais mon appartement. Puis, évitant le moindre choc, longeant à tâtons les pupitres et les vitrines de numismatique, je revins sur mes pas et ouvris doucement la porte de gauche, qui donnait dans la salle des Armures.

De grandes flaques lunaires s'étendaient sur le sol noir selon la forme des hautes fenêtres lancéolées. J'allai droit à la cheminée; je sentis avec émotion le contact de la lourde plaque de fonte. Ce ne fut que lorsque mes doigts eurent rencontré à gauche, tout en haut, une espèce de macaron de fer que je fis jouer ma lampe électrique.

Je n'eus aucune peine à venir à bout de ce macaron; il pivota sur sa charnière, laissant visible une espèce de cadran. Le tout assez analogue au modèle employé pour nos compteurs à gaz.

J'eus un geste de dépit. Je m'attendais à des lettres. Or, le cadran était chiffré. Il était divisé en vingt-cinq compartiments.

Eteignant ma lampe électrique, je m'assis sur un lourd escabeau de chêne qui se trouvait là.

Mes réflexions ne furent pas de longue durée. Le nombre 25! Etais-je sot!

Je tirai de ma poche un crayon et un morceau de papier, et, à genoux devant l'escabeau, ayant à nouveau pressé le bouton de ma lampe, j'eus tôt fait de tracer les vingt-cinq lettres de l'alphabet, avec, sous chacune d'elles, le chiffre correspondant. Ayant alors écrit le nom de Giroud, j'obtins la combinaison suivante : 7.9.18.15.21.4.

791815214. Il faudra que beaucoup de jours passent, avant que ce nombre disparaisse de ma mémoire.

Je promenai le faible faisceau électrique sur le rectangle de fonte. Un immense désappointement me saisissait. Au lieu des six macarons *qu'il devait y avoir*, je n'en découvrais que deux.

Quand, dans un raisonnement comme celui auquel je venais de me livrer, un seul élément ne concorde pas, c'est que tout le raisonnement est faux. Aussi, c'eût été par trop simple...

Uniquement par acquit de conscience, j'ouvris le premier macaron, et faisant tourner l'aiguille qui partait du centre du cadran, je la mis sur le chiffre 7 : g.

J'allai à droite, et répétai la même opération sur le second macaron, mettant l'aiguille au chiffre 9 : i.

Alors, j'entendis mon cœur battre. Une raie noire se dessina verticalement au centre de la plaque. Cette raie s'agrandit, s'agrandit. Les deux parois, glissant à gauche et à droite, laissèrent une fente de 80 centimètres.

J'avais trouvé : le secret de l'*Herrenhausen* allait être enfin percé.

J'étais redevenu calme, extraordinairement calme. Je me souviens que je me répétais : « Quelle admirable façon d'étudier l'histoire! qu'en penserait M. Seignobos? »

Prenant avec moi l'escabeau qui m'avait servi de table, je m'introduisis par l'ouverture. La plaque de fonte qui venait de jouer avait, de chaque côté de l'ouverture, deux poignées. Très doucement, mais sans effort, je refermai en les ramenant de l'intérieur, l'une contre l'autre, pas tout à fait contre cependant, dans la crainte de faire jouer quelque fatal déclic.

Vous rappelez-vous, mon ami, le 24 août, en Belgique, au village de Beaumont, quand nous avons pénétré tous deux dans une cave où les gens du pays nous disaient qu'étaient cachés cinq uhlans? Vous me suiviez en m'accusant d'imprudence. Moi, je souriais en pensant que ces cinq fuyards étaient de pauvres choses à côté de l'obscurité où je me suis enfoncé cette nuit-là.

Les deux battants de la plaque ramenés, je me trouvai dans une sorte de petite pièce large de six pieds, haute de six. A droite et à gauche, la muraille, mais au fond une seconde plaque de bronze, avec, à droite, à gauche, deux autres macarons : c'était prévu.

Je mis l'aiguille du premier cadran sur le chiffre 18.

L'aiguille du second venait justement d'arriver sur le chiffre 15 qu'un bruit de bois fracassé, effrayant dans ce silence, me glaçait de la tête aux pieds. Toute la partie inférieure de l'énorme plaque, s'ouvrant à un mètre du sol, venait, en se rabattant, de mettre en miettes le lourd escabeau que j'avais posé en entrant contre elle.

Sans le brusque geste avec lequel j'avais sauté en arrière mes pieds étaient écrasés.

« Très bien, murmurai-je. Leurs secrets ont des chausse-trapes. »

Et, m'étant baissé, je pénétrai dans la seconde chambre, qui avait exactement les mêmes dimensions que la première.

Vous pensez que, cette fois, pour mettre l'aiguille du cinquième cadran sur le chiffre 21 et celle du sixième cadran sur le chiffre 4, me rangeant soigneusement à gauche, puis à droite, je pris mes précautions. Peine inutile. La plaque se partagea en deux verticalement, comme avait fait la première, et roula doucement sur d'invisibles gonds.

Alors, j'entrai dans la troisième et dernière chambre.

Elle avait la même hauteur, mais le double environ de largeur et de longueur.

Le mince pinceau de ma lampe électrique éclairait bien, mais sur un faible rayon.

Je ne vis d'abord, sur le sol, que des espèces d'éclaboussures blanches.

Et soudain, mon ami, mon cœur se glaça. J'eus peur, peur. Dans le coin, à gauche, un singulier tas blanc venait de m'apparaître.

Invinciblement, je m'en approchai, et, en m'en approchant, j'avais envie de m'enfuir, et, entre mes dents qui claquaient, je murmurais : « C'est une hallucination, je rêve, je sais bien que je rêve. Ce n'est pas à Hanovre que je suis. C'est à Lautenbourg. Dans le palais. Tout à côté, il y a le docteur Cyrus Beck, qui travaille. Il y a la ronde. Il y a Ludwig, mon valet de chambre. Il y a le commandant de Kessel, qui est si bon, si brave... »

La couche de chaux blanche était maintenant là, à mes pieds. Je tombai, plutôt que je m'agenouillai devant elle.

De bizarres débris la hérissaient, informes, blanchis, horribles. Comment, dans l'état affreux où j'étais, ai-je eu la force d'en saisir un, de le palper, de le regarder...

Cela, je l'ai fait, pourtant. J'ai pris entre mes mains cet ossement, un tibia droit, je l'ai regardé, je l'ai palpé...

Et alors, j'ai poussé un grand cri, en sentant sur cet os, au milieu, le bourrelet d'une ancienne fracture.

*

Comment aussi, ce matin-là, ai-je bien pu donner au duc Joachim sa leçon d'histoire, c'est ce que je me demande encore. J'évitais les glaces, de peur de les voir me renvoyer une image trop troublée.

A onze heures, j'étais dans le petit boudoir de la grande-duchesse.

Mélusine, que la vieille femme de chambre russe était allée prévenir, arriva assez vite; je sentis, à la surprise enjouée qu'elle me témoigna, combien ma visite, à cette heure, lui paraissait insolite.

« Voir la grande-duchesse, mon cher! Vous ne doutez de rien. Enfin, comme c'est vous qui le demandez... Puis, je pense que pour insister ainsi vous devez avoir... »

En parlant, elle entrouvrait les rideaux. Un rayon de soleil me frappa en plein visage. Elle m'aperçut alors tel que j'étais et eut peine à réprimer une exclamation.

« Je vais la chercher », dit-elle simplement.

J'étais venu là comme un somnambule, poussé par la force des événements de la nuit. Resté seul, ma démarche m'apparut folle. Et moi, n'allais-je pas avoir l'air du fou qu'à une minute je me demandai si je n'étais pas devenu. Elle, Aurore, comment allait-elle prendre le récit de ma singulière aventure? « L'arracher à ses pensées noires, à une sorte de déséquilibre moral fatal à sa santé physique. » Cette phrase me revenait. C'était ce que le grand-duc Frédéric-Auguste m'avait demandé d'essayer à son propos. Drôle de façon, vraiment, de m'acquitter de cette mission. J'eus envie de m'échapper.

Mais déjà la grande-duchesse entrait.

Elle était, ce matin, d'une gaieté que je pensai n'avoir jamais la force de troubler.

« Eh bien, ami? dit-elle. Qu'est-ce qui me vaut le plaisir de cette visite? Avez-vous renversé votre horaire? Et sont-ce vos matinées que vous avez décidé désormais à me consacrer? »

Mon visage bouleversé produisit sur elle le même effet que sur Mélusine.

Elle me prit par le bras et me fit asseoir sur un divan à son côté.

« Vous avez manqué de tomber en vous asseyant, dit-elle gravement. Mélusine, donne-moi le coffret bleu. »

C'était un minuscule coffret en pâte de turquoise. Quel barbare révulsif pouvait-il contenir? Quand Aurore me l'eut fait respirer, je tressaillis comme au contact d'un accumulateur.

« Là, dit-elle, il va déjà mieux. »

Et elle ajouta :

« Dès que vous serez en état, parlez! nous vous écoutons. »

Tout ce que vous savez déjà, je le lui racontai alors, depuis mes premières investigations sur l'histoire des Kœnigsmark jusqu'au coup de théâtre final, à ma descente dans le caveau de la salle des Armures et à la lugubre découverte que j'y avais faite.

Avec un sang-froid admirable, jusqu'au bout, elle m'écouta sans mot dire, échangeant seulement par instant avec Mélusine un regard qui était plus de surprise que d'émotion.

Quand j'eus fini, elle resta un moment sans parler, puis me dit avec calme :

« C'est un récit bien passionnant que celui que vous venez de nous faire là. Mais vous étonnerai-je en vous disant que je n'en suis pas autrement émue? Une seule chose y est, je l'avoue, un peu déconcertante, et c'est que vous ayez trouvé à Lautenbourg un squelette à la place exacte où il doit s'en trouver un au palais de Hanovre! Mais qu'est-ce que cela prouve, en admettant qu'il ne s'agisse pas d'une mort naturelle, sinon que les vieux ducs de Lautenbourg n'avaient pas, pour la vie humaine, un respect plus grand que leurs voisins de Hanovre? Je m'en doutais, et n'en suis pas troublée outre mesure.

— Aussi n'est-ce pas la présence de ce squelette qui m'a troublé si fort, madame, répondis-je.

— Qu'est-ce alors? dit-elle de cet air dédaigneux qu'elle avait sitôt qu'elle se figurait qu'on voulait prendre barre sur elle.

— C'est, dis-je simplement, mais en pesant mes mots, que j'ai eu entre les mains le tibia droit du corps qui est caché là, et que ce tibia porte, sur sa face externe, au milieu, la suture d'une ancienne fracture. »

Aurore s'était dressée. Elle pressa entre ses mains son front recouvert soudain d'une pâleur mortelle. Ses yeux fixes devinrent immenses. Elle cria :

« Vous êtes fou! Vous êtes fou! Mélusine, dis-lui qu'il est fou. »

Mlle de Graffenfried s'était précipitée auprès de la grande-duchesse renversée sur le divan, dans une raideur cataleptique. Ses paupières s'entrouvrirent. Une indicible épouvante était dans son regard.

« Fou! fou! cria-t-elle encore. C'est à Sangha qu'il est, j'ai les lettres, à Sangha. »

Et elle criait, d'une voix effrayante :

« A Sangha! A Sangha!

— J'ai fait ce que j'ai cru devoir faire », murmurai-je à Mélusine, tandis que je l'aidais à faire respirer à sa maîtresse le petit coffret bleu.

Elle eut un coup d'œil profond pour me dire — l'admirable fille :

« Vous n'avez pas besoin de vous excuser, je le sais.

« N'ayez pas peur, ajouta-t-elle à mi-voix. Sa fièvre cérébrale l'a laissée extraordinairement impressionnable. Et, vraiment, cette fois-ci, il y avait de quoi. Mais voyez, elle revient à elle. »

Aurore rouvrait des yeux étonnés. Elle nous vit tous deux penchés sur elle, se rappela. Je devais avoir dans le regard une anxiété incroyable. Elle me sourit, me tendant une main que je couvris de baisers.

« Excusez-moi, mes enfants, de vous avoir tant effrayés, murmura-t-elle. Bonne Mélusine, toujours à son poste quand il le faut, et, vous, ami, merci.

— Vous ne m'en voulez pas? » suppliai-je.

Elle hocha la tête en souriant et me répondit par la phrase russe :

« *Les corneilles pourraient-elles en vouloir au soleil qui fait briller le fusil?* »

Elle ajouta :

« Mélusine, préviens qu'il déjeunera avec nous. »

C'était une faveur insigne que de s'asseoir à la table d'Aurore. La seule Mélusine jusqu'à ce jour en avait été jugée digne. Je ne devais pas tarder à apprendre à mes dépens l'immensité de cet honneur. En attendant, j'y voyais une nouvelle preuve de l'importance de ma révélation.

Vous pourriez croire que ce déjeuner dut souffrir de l'influence des événements qui venaient de se passer. Il n'en fut rien, et, pour être un peu factice, l'entrain d'Aurore ne l'en anima pas moins jusqu'au bout. Tout le temps, elle parla d'autre chose. J'admirai sa maîtrise, d'autant plus que j'étais dépositaire d'un secret assez fort pour la lui avoir fait perdre. En cette heure, où je sentais que les événements les plus graves allaient se précipiter, je me plaisais à considérer combien j'avais su me rendre indispensable à la hautaine princesse qui avait eu, cinq mois, l'air d'ignorer jusqu'à mon existence.

Au moment du café, Mélusine se leva.

« Où vas-tu? demanda la grande-duchesse.

— Dire que vous n'irez pas faire vos visites cet après-midi, répondit-elle.

— Tu te trompes, dit Aurore en souriant. Je suis plus forte que cela. Préviens au contraire que ce n'est pas à cinq heures, mais à quatre qu'il faut que l'automobile soit prête.

— A quatre heures?

— Oui, car je veux avoir quelques heures de tranquillité avant de venir, à minuit, vous retrouver », me dit-elle.

Mélusine et moi la regardâmes.

« Cela vous étonne, reprit-elle. Jugez-vous, oui ou non, important ce que vous venez de me dire? Moi je pense ceci : un être peut avoir une hallucination. Deux êtres, c'est moins vraisemblable. A minuit, ami, je frapperai à votre porte. Et ce sera le moment de me prouver votre science des serrures secrètes. C'est dit, n'est-ce pas? Et maintenant, va, ma Mélusine, commander la voiture pour quatre heures, car voilà deux fois que j'ai remis ma visite à cette bonne Mme la bourgmestresse de Lautenbourg. Je ne lui manquerai pas une troisième fois de parole. »

Il y avait une telle autorité dans cet ordre que Mélusine sortit, non sans m'avoir jeté un long regard suppliant.

« Pauvre amie, dit la grande-duchesse, par ce regard, elle me confie à toi. Quoi qu'il en soit, entendu, n'est-ce pas, à minuit.

— Madame, dis-je avec résolution, je ferai ce que voudra Votre Altesse. Non seulement je la comprends, mais je l'approuve. Permettez-moi seulement de vous faire remarquer deux choses : d'abord qu'il serait beaucoup plus rationnel que ce fût moi qui vinsse vous chercher, plutôt que de vous faire courir le risque d'être rencontrée dans les couloirs du château; en second lieu, qu'à minuit, une ronde passe, qu'elle peut être en avance, et qu'il est préférable d'éliminer tout danger d'être dérangés dans une entreprise aussi délicate que la nôtre.

— Soit, dit-elle, alors?

— Alors, avec votre autorisation, je serai ici à dix heures et demie. Une heure nous suffira largement. Et Mlle de Graffenfried qui restera dans vos appartements sera chargée d'y accueillir comme il convient les importuns éventuels. »

Elle sourit :

« Si c'est à Hagen que vous faites allusion, mauvais garçon rancunier, j'aime mieux vous prévenir qu'il est convié ce soir à son cercle, à une de ces beuveries auxquelles tout bon Allemand sacrifierait même la Loreleï.

— Hagen ou un autre, répliquai-je un peu vexé, il vaut mieux tout prévoir.

— Tu as raison, petit frère, dit-elle sérieusement. A dix heures et demie, donc, je t'attendrai. »

*

Quand, après le dîner, je fus rentré dans ma chambre, il me sembla que l'instant d'aller chercher la grande-duchesse n'arriverait jamais.

Dix heures sonnèrent enfin, puis le quart. Je descendis doucement, et entrouvris la porte de la bibliothèque. Bonheur! Elle n'était pas éclairée. Si Cyrus Beck avait eu cette nuit la malencontreuse idée d'y travailler, tout aurait été à recommencer.

La demie sonna, il me fallait deux minutes à peine

pour traverser le jardin. Je n'étais pas en retard.

J'ouvris la porte donnant sur le parc. Une bouffée d'air frais me fit du bien.

Comme je la refermais, je tressaillis : une main venait de se poser sur mon épaule.

En même temps, une voix disait :

« Monsieur le professeur Vignerte. Vraiment, comme je suis heureux de vous rencontrer! »

C'était le lieutenant de Hagen.

La nuit était noire et nous ne pouvions pas nous voir. Cependant, il me sembla que la main qu'il avait mise sur mon épaule tremblait un peu. Du coup, toute mon assurance me revint.

« Je vous croyais à votre mess, lui dis-je.

— J'y devais être, me répondit-il. On change quelquefois d'idée. Ainsi vous-même, vous aviez sans doute l'intention de passer la nuit à travailler dans votre chambre. Et pourtant vous voilà ici.

— Il fait si lourd ce soir, dis-je. J'ai eu envie de prendre un peu l'air au jardin.

— Je ne pense pas dans ces conditions que vous voyiez quelque inconvénient à ce que je vous accompagne dans votre promenade. »

Cette fois, je découvrais dans son ton une ironie si insolente que je vis qu'il allait me falloir jouer cartes sur table.

« Tout en reconnaissant ce que votre attention a de gracieux, monsieur le lieutenant, je ne vous cacherai pas que je préférerais être seul. »

Il ricana :

« Tout seul, vraiment? »

Les trois quarts qui sonnèrent me rendirent furieux. Cet imbécile allait-il faire tout manquer?

« Que voulez-vous dire? » demandai-je avec irritation.

Je compris que son dessein était de me mettre hors de moi-même.

« Monsieur le professeur, dit-il, en Allemagne, nous avons quelque chose de sacré. Notre parole d'honneur. Je me plais à croire qu'en France il en est de même. Je vais vous laisser tranquille. Toutefois auparavant, pouvez-vous me donner votre parole d'honneur que vous n'avez pas rendez-vous, ce soir, avec la grande-duchesse Aurore? »

Je frémis. Jusqu'à quel point cet homme était-il au courant de ce qui se passait? Cependant, cette fois encore, je me contins.

« Monsieur de Hagen, un de vos romanciers, un certain Beyerlein, a fait un bien mauvais roman, *La Retraite*. Eh bien, nous sommes en train, à nous deux, de jouer la scène la plus ridicule de ce roman-là, avec cette différence qu'il ne s'agit pas de la fille d'un maréchal des logis-chef, mais de votre souveraine, la grande-duchesse de Lautenbourg-Detmold. Et je m'étonne...

— Je le sais, me dit-il d'une voix rauque. Et c'est pourquoi je veux...

— Que voulez-vous, dites-le. Finissons-en!

— Vous tuer, monsieur le professeur.

— Et pourquoi, s'il vous plaît?

— Parce que vous l'aimez et parce que... »

Il eut un sanglot, ce hussard rouge. Sa main, posée sur mon bras, eut un grand frisson.

« Parce que?

— Parce qu'elle vous aime. »

Il me faisait presque pitié, maintenant. Mais là-bas, la grande-duchesse m'attendait.

« Je suis, monsieur, à votre disposition, dès demain, quand vous voudrez, dis-je.

— Demain, dit-il avec amertume. Alors vous pensez que je vais vous laisser aller la retrouver? Car elle vous attend : vous ne m'avez pas répondu tout à l'heure. Non, monsieur, non. Tout de suite. »

C'en était trop. Avec une violence inouïe, je dégageai mon bras et le repoussai. Il s'en alla buter contre le mur.

Il avait dégainé.

Je me sentais de force à lui arracher son sabre et à le retourner contre lui de belle façon. Mais je pouvais être blessé. De toute façon, c'était du bruit, un scandale. Il ne fallait pas.

« Monsieur de Hagen, dis-je à voix basse. Ecoutez-moi. Pour me parler ainsi, pour me chercher querelle, il faut, je le sais, que vous aimiez vous-même la grande-duchesse.

— Monsieur, dit-il avec colère, je vous défends...

— Ecoutez-moi donc, dis-je, d'un ton d'impatience et d'autorité qui lui en imposa. Vous l'aimez, je le répète. Eh bien, je fais appel maintenant autant à votre amour qu'à votre loyalisme de soldat : la grande-duchesse Aurore, cette femme adorable, court cette nuit un immense danger. Chaque minute, chaque seconde que vous me faites perdre ici augmente ce danger, vous m'entendez, et de cela, je puis vous donner sur l'heure ma parole d'honneur. »

Je vis que j'avais touché juste.

« Que voulez-vous dire, monsieur? murmura-t-il avec effroi. Un grand danger?

— Oui, monsieur de Hagen. Rentrez sur l'heure chez vous; ne vous couchez pas. Peut-être Aurore de Lautenbourg aura cette nuit besoin de vos services. »

Il hésita, puis prenant son parti :

« Eh bien, monsieur, c'est entendu, je rentre. Mais n'oubliez pas que si vous m'avez trompé...

— De cela, n'ayez nulle crainte, répondis-je, car je préfère vous dire que la petite partie que vous me proposiez à la minute, nous la remettrons, si vous voulez, à demain matin. J'en ai un aussi vif désir que vous.

— A demain donc, dit-il en s'inclinant. Quelle heure?

— Six heures. Au pont de la Meilleraie. C'est un endroit tranquille, et la Melna est à côté.

— Et pour les armes?

— Occupez-vous-en, dit-je. Je m'en remets entièrement à vous. »

Nous dîmes tous deux ensemble :

« Et personne avec nous, naturellement. »

Il se raidit, me salua militairement et s'éloigna dans la nuit.

« Enfin », murmurai-je, avec un soupir de soulagement.

Onze heures sonnaient quand j'entrai chez la grande-duchesse.

*

Elle m'attendait seule dans son boudoir, debout, un peu pâle.

Quand j'entrai, elle lut sur mon visage qu'il s'était passé quelque chose d'anormal, car elle ne m'interrogea pas sur mon retard.

« Rien de grave? demanda-t-elle simplement.

— Non, madame, rien. Mais partons vite, nous avons juste le temps. »

Comme nous étions à la porte de l'escalier, celle de la chambre de Mélusine s'ouvrit, et Mlle de Graffenfried parut.

« Quoi, dit-elle, déjà!

— C'est vrai, dit Aurore. Je ne t'avais pas prévenue que c'était avancé d'une heure. Ne crains rien, ma chérie. Demeure, et que personne n'entre ici. Nous serons de retour avant minuit. »

Elle l'embrassa sur le front.

Pleine d'angoisse, des larmes dans ses beaux yeux noirs, Mlle de Graffenfried m'avait saisi les mains.

« Vous me jurez qu'il ne lui arrivera rien, supplia-t-elle. Je vous la confie.

— Allons, allons, dit Aurore, faisons vite, éteins l'électricité de l'escalier. »

Nous descendîmes dans l'obscurité.

Arrivés au palier du milieu, je sentis la main de la grande-duchesse étreindre mon bras. Elle ne tremblait pas, elle, je vous le jure.

« Es-tu armé? dit-elle.

— Non.

— Enfant, murmura-t-elle, et, en même temps, je sentis que sa main qui s'était introduite dans la poche de mon veston y déposait quelque chose.

— C'est un browning et un bon. A la première occasion, n'hésite pas à t'en servir, contre n'importe qui. Je te donnerai moi-même l'exemple. »

Nous étions arrivés au bas de l'escalier. Elle marchait devant, et ce fut elle qui ouvrit la porte.

« Eh bien? » dis-je.

Elle n'avançait plus, obstruant l'entrée. Une exclamation sourde lui échappa.

« Ah! je te l'avais bien dit! Il est fort, très fort.

— Qu'y a-t-il? » interrogeai-je avec angoisse.

Une immense lueur rouge embrasait l'horizon, à droite. La moitié du château brûlait.

Sur la flamme, les ifs du parc se détachaient comme des cônes d'ombre. L'eau du bassin de Perséphone miroitait, noire et rose.

« Mais, répétait la grande-duchesse, qui a pu lui dire que nous viendrions ce soir? Nous n'étions que trois à le savoir : moi, toi, et... *elle.* »

Nous contemplâmes une seconde le tragique spectacle. Les bruits commençaient à naître dans le palais surpris dans son premier sommeil.

« Allons, dit Aurore, il faut voir. »

En nous approchant, nous tombâmes sur Hagen. Comme un fou, il dévalait par l'escalier de droite du palais.

« Vous, vous! dit-il avec un cri de joie en reconnaissant la grande-duchesse. Ah! que j'ai eu peur! que je suis heureux! »

Et il lui baisait les mains éperdument.

« Pardon, pardon, balbutiait-il, s'adressant à moi.

— Restez avec elle », lui criai-je. Et m'élançant j'entrai dans la salle des fêtes à toute vitesse.

« Où va-t-il? cria Aurore. Retenez-le! »

J'étais déjà loin. Traversant la salle des fêtes, je pénétrai dans la partie droite du château. C'était la gauche qui était en flammes, la bibliothèque et, naturellement, la salle des Armures.

Qu'allais-je faire? Je ne le savais pas très bien moi-même. Une de ces forces me poussait avec lesquelles on ne raisonne pas. Plus tard, j'ai essayé d'analyser mon geste. Il y avait dans ma chambre mon argent, mes papiers, quelques lettres de ma mère, toute ma vie sans doute, et pourtant, je suis sûr que pas une minute je n'eus l'impression que c'était pour cela que je m'exposais ainsi.

Par le corridor du premier étage au bout duquel était la porte de mon appartement, un énorme tourbillon de fumée dégringolait, où voltigeaient des étincelles rouges.

Je croisai Kessel qui descendait.

Je l'entendis qui me criait :

« Où allez-vous? L'escalier s'embrase. Le corridor brûle! »

J'étais déjà loin.

J'avais enlevé ma veste et m'en étais entortillé la tête. Comment j'arrivai à la porte de ma chambre, je ne sais. Je me rappelle seulement que le contact de la serrure me brûla les doigts.

En vain, j'essayai d'ouvrir. La clef jouait dans le pène normalement. La porte résistait.

C'est alors que j'aperçus une épaisse lame de fer, vissée moitié dans la porte, moitié dans la muraille.

« Ah! dis-je, et ma fenêtre qui surplombe le ravin de la Melna! »

Je ne tremblais pas. Je comprenais. Je savais ce que je voulais.

« Ah! monseigneur, vous pensiez que j'aurais été encore dans ma chambre, n'est-ce pas! »

Pour aller et revenir, je n'avais pas mis une minute. Quand je posai le pied sur la dernière marche de l'escalier, un formidable craquement retentit. Sa partie supérieure et tout le corridor venaient de s'abîmer.

Lorsque je parvins près de la grande-duchesse. hagard, les yeux roussis, de nombreux groupes étaient déjà formés dans le parc. A côté d'elle et de Hagen, un homme de haute taille se tenait. C'était le grand-duc.

« Monsieur Vignerte, s'écria-t-il avec joie en m'apercevant, enfin, quel poids vous m'ôtez du cœur! Vous revenez de loin!

— De bien loin, en effet, monseigneur, répondis-je en chancelant.

— Soutenez-le » cria Aurore à Hagen.

Et le petit hussard rouge obéit.

« Attention! cria soudain le grand-duc. Voilà ce que je craignais. »

Entraînant sa femme, il avait bondi en arrière, à une dizaine de mètres. Tous l'imitèrent avec stupeur.

Une immense flamme, mauve et or, monta dans le ciel rouge, suivie d'une épouvantable explosion. On vit les murailles du château s'entrouvrir, osciller, puis retomber sur elles-mêmes avec fracas.

Il pleuvait maintenant autour de nous des débris de toutes sortes, plâtras, flammèches, tuiles, fragments de poutres embrasées.

A notre côté, le capitaine Müller, qui s'était un peu rapproché du foyer, fut atteint par l'un d'eux. Nous le vîmes s'affaisser, la tête en sang.

C'était le laboratoire du professeur Cyrus Beck qui venait de sauter.

Les pompiers, arrivés presque instantanément, s'efforçaient de circonscrire l'incendie. Derrière, dans la cour d'honneur, s'entendait le bruit sourd et martelé des troupes de la garnison accourant au pas gymnastique.

A une heure, on était maître du feu. A une heure et demie, on put commencer à retirer les premiers cadavres.

Vers deux heures, le ciel se teinta d'une lueur jaune. Doucement, l'aube naissait.

A ce moment, portée par quatre soldats, une civière passa près de notre groupe, et nous pûmes reconnaître le corps affreusement défiguré du professeur.

Le grand-duc se pencha, le regarda, puis, ayant rejeté le drap sur les restes hideux, il murmura :

« Avec ce vieux fou, il est certain que pareille chose devait arriver un jour. »

Telle fut l'oraison funèbre de M. le professeur Cyrus Beck, de l'Université de Kiel.

*

Nous revenions maintenant vers l'aile gauche du palais, la grande-duchesse, Mélusine et moi. Il était environ six heures. La journée s'annonçait comme très chaude. Un rose soleil montait sur ce cataclysme.

Mélusine était venue nous retrouver dès le début de l'incendie. Elle avait, jusqu'à cette heure, aidé la grande-duchesse à s'occuper des pompiers et des soldats blessés, qu'on avait transportés dans la salle des fêtes.

Aurore marchait sans mot dire, et, chargés nous-mêmes de trop de pensées, nous respections son silence.

Soudain, elle releva la tête, et, en souriant, me désigna quelque chose, dans le ciel pur déjà blanchi de chaleur.

Un oiseau, venant de l'est, passait au-dessus de nos têtes. Son vol était cahoté; il s'élevait, retombait, comme ceux qui, comme la caille et la perdrix, ont des ailes trop courtes.

Il disparut vers la gauche, dans le fond du jardin anglais, du côté de la Melna.

Un autre, puis un autre passèrent et disparurent au même endroit. Puis, successivement, il en passa une vingtaine.

« Les premières draines, dit Aurore. Elles vont aux sorbiers de la Melna. »

Nous étions arrivés devant ses appartements.

« Ma pauvre Mélusine, dit-elle, d'un air étrange, tu n'en peux plus. Va prendre un peu de repos. Moi, je vais dans ma cabane de verdure, essayer de me distraire avec ces oiseaux.

— Je puis bien venir, dit Mélusine.

— Non, non, répondit la grande-duchesse. Raoul Vignerte m'accompagnera. J'ai à lui parler. Mais toi, je te l'ordonne, va te reposer. Fais-moi seulement descendre mon fusil et des cartouches. Prête le tien à Vignerte, qui a le sien là-bas, sous les décombres du château. »

Et, comme la jeune fille insistait encore pour nous accompagner :

« Va! » lui dit durement Aurore.

Mélusine nous quitta. Elle semblait véritablement morte de fatigue et d'émotion.

Nous prîmes par un chemin détourné pour arriver, sans effaroucher les draines, au pavillon de verdure où j'avais eu ma première entrevue avec la grande-duchesse de Lautenbourg. Au-dessus des haies de sorbiers, on voyait par moments une draine s'élever, comme pour guetter, et, rassurée, se reposer.

Quand nous fûmes dans la chambre de verdure, je pensai qu'il fallait faire des espèces de meurtrières, car le bois était là extraordinairement fourré, et le feuillage nous entourait d'une muraille fraîche, quasi opaque.

La grande-duchesse ne parut pas s'en préoccuper. Elle avait gardé, durant le parcours, un silence continu. Une résolution dure se lisait sur son visage. Moi non plus, je ne parlais pas. Que lui aurais-je dit? et nos pensées, en cette heure tragique, n'étaient-elles pas les mêmes? A quoi bon les échanger?

Soudain l'expression fixe qui contractait ses traits perdit un peu de sa raideur. Elle se mit à parler à voix basse. J'étais vraiment ahuri de ce bizarre entretien, de cette non moins bizarre idée de venir, en un tel moment, chasser ces oiseaux, dont elle était en train de me dépeindre les habitudes.

Son fusil chargé était sur ses genoux, et voici ce qu'elle me disait, avec un sourire singulier qui me fit à cet instant craindre que cette nuit n'eût eu sur sa raison une influence fatale.

« Les draines. Tu les connais bien, de grosses grives. Mais qui passent plus tôt. Ce sont des oiseaux difficiles à chasser, contre l'apparence, très traîtres, au fond. On les sait près de soi, comme nous les savons en ce moment. On ne les voit pas. On les devine. Il faut tirer au jugé. Moi, j'ai l'habitude. Ainsi, si je te le dis : tire, en te montrant la direction, tu tireras, sans t'occuper du but. Tu iras voir, et il y aura une draine à terre. »

Elle baissa la voix. Cette voix se fit sifflante. Le bras tendu, elle me désignait un point, un imperceptible bruissement de feuilles dans l'épaisse charmille.

« Tire, ordonna-t-elle. Tire donc.

— Mais, dis-je déconcerté, je ne vois pas bien...

— Maladroit, murmura-t-elle. Ce sera donc moi. »

Elle épaula et lâcha son coup de fusil.

Une détonation, un cri épouvantable, atroce Je tremblai comme tremblaient encore les branches que le plomb venait de balayer.

Appuyée sur son canon fumant, la grande-duchesse me dit avec son sourire pâle :

« Va voir... »

En chancelant, j'obéis; je traversai la charmille.

Derrière, dans une mare de sang que buvait la terre, le visage littéralement haché par la charge de plomb qu'elle avait reçue presque à bout portant, Mélusine de Graffenfried se tordait dans les convulsions de l'agonie.

« Quel horrible malheur! » criai-je d'une voix blanche.

La grande-duchesse venait de traverser la charmille. Un œil de Mélusine était crevé, l'autre fixait Aurore avec une expression folle d'épouvante et de souffrance.

Aurore la regarda froidement et murmura la phrase d'Hamlet après le meurtre de Polonius :

« *J'aurais voulu que ce fût quelqu'un de plus puissant.* »

Dans un terrible hoquet, Mélusine expirait.

Un moment, la grande-duchesse resta immobile. Ses traits étaient d'une dureté implacable, qui me fit peur. Elle voyait sans un frisson l'œil vitreux de la morte la regarder.

« Rentrons, dit-elle enfin. Il faut prévenir au palais de ce nouveau malheur. »

Elle prit entre mes doigts tremblants le mince fusil finement damasquiné qui avait été celui de Mlle de Graffenfried et le posa à côté du cadavre.

Puis, d'un pas alerte, elle partit, m'ayant fait signe de demeurer.

Resté seul auprès de la morte, je n'osai d'abord la regarder. Où donc, mon Dieu, le beau teint mat, l'ovale du visage, les yeux languissants : une infâme bouillie sanglante, emmêlée de terre et de cheveux. D'horribles insectes verts déjà tournoyaient autour de ces misérables débris. Je coupai une branche de noisetier toute feuillue et me mis en devoir de les écarter, à peu près comme chez nous les vieilles pâtissières foraines écartent les mouches de leur éventaire avec un plumeau de papier.

La grande-duchesse fut bientôt de retour. Mme de Wendel, deux ou trois dames de la cour, la femme de chambre de Mélusine arrivaient avec elle, se lamentant. Elle, toujours maîtresse d'elle-même, donnait des ordres. Le corps de Mélusine, posé sur une civière, fut ramené au palais.

Comme nous arrivions, nous vîmes le grand-duc venir au-devant du triste cortège. Il était en train de visiter les blessés de la nuit quand on le mit au courant du nouveau malheur qui venait de frapper la cour de Lautenbourg.

Il accourait visiblement ému.

« Ah! madame, dit-il en serrant la main d'Aurore, quel déplorable accident!

— Le hasard a de ces fatalités, monsieur, répondit avec une admirable gravité la grande-duchesse.

— Mais comment cela a-t-il pu se produire?

— Le sais-je, monsieur? répondit Aurore. Je n'en suis pas à vrai dire mieux au courant que vous ne pouvez l'être vous-même des origines de l'incendie de cette nuit. »

Le coup était droit : le grand-duc ne baissa pas la tête.

« Vous avez raison, qu'importe comment, puisque le triste résultat n'est que trop réel. Permettez-moi de me joindre à vous pour pleurer l'immense perte que vous faites en Mlle de Graffenfried.

— Immense, monsieur, en effet, répondit Aurore, et c'est pourquoi je ne veux pas tarder à vous remercier, puisque c'est grâce à vous qu'elle n'est pas tout à fait irréparable. Aviez-vous donc quelque triste pressentiment de ce qui est arrivé, le jour où vous avez décidé de mettre en la personne de M. Vignerte un second confident à ma disposition? »

Frédéric-Auguste se mordit les lèvres. Mais sa réponse fut terrible.

« Je sais, madame, que vous appréciez hautement les services de M. Vignerte, et vous m'en voyez ravi. Si l'affreuse fin de Mlle de Graffenfried m'affecte tant, cependant, en ce qui vous concerne, c'est que je sais qu'il est des choses pour lesquelles une femme est irremplaçable. »

Entre ces deux êtres, un tel assaut de prévenances empoisonnées avait pour moi quelque chose d'effrayant. Kessel, M. de Wendel, tous les autres y assistaient sans pouvoir s'en figurer tout le tragique. J'étais à la fois fier et épouvanté d'être dans une telle confidence. Le souvenir de M. Thierry me traversa l'esprit. Je lui avais promis de ne jamais me laisser mêler aux affaires intimes des souverains de Lautenbourg!...

Je ne savais ce que je devais le plus admirer, de la courtoisie terrible du grand-duc ou de la hauteur froide de la grande-duchesse. Sous l'ignoble trait qu'il venait de lui décocher, je craignis une seconde de la voir chanceler, se départir de son calme. Il n'en fut rien, et sa riposte fut supérieure à l'attaque.

« Irremplaçable! Monsieur, vous l'avez dit. Aussi n'est-ce pas dans la pensée qu'il pourra remplacer Mélusine que je vous demande de laisser M. Vignerte à mon entière disposition. Je compte au contraire sur son dévouement pour m'aider à conserver le plus vivant possible le souvenir de notre chère morte, et celui des événements de cette tragique journée. »

Elle ajouta :

« M. Vignerte se trouve actuellement privé de domicile du fait de l'incendie. Vous trouverez bon qu'il recoive à partir d'aujourd'hui mon hospitalité. »

Le grand-duc s'inclina.

« Il en sera fait, madame, suivant votre désir. Puisse cette société vous apporter un peu de l'apaisement si nécessaire à votre santé morale, après les dures épreuves que la volonté du Tout-Puissant a daigné nous imposer. »

Là-dessus, il prit congé.

Dans le boudoir de la grande-duchesse, transformé en chapelle ardente, la bière disparaissait sous une avalanche de roses et d'iris de Circassie, entre des coupes où fumaient des pastilles d'encens.

Aurore avait voulu rester seule avec moi pour veiller son amie morte. Les gens qui se présentèrent timidement, il faut voir comme ils furent reçus

Vêtue d'une tunique arménienne noire, elle récitait à demi-voix les belles prières orthodoxes.

Je n'avais pas fermé l'œil depuis deux jours. Vers minuit, exténué, brisé, je m'assoupis dans mon fauteuil.

Quand je rouvris les yeux, la grande-duchesse était debout près de moi. La lumière des grands cierges mettait à son visage des ombres tremblantes et douces. La main sur mon front avec un sourire, triste, elle murmura :

« Tu succombes de fatigue. Va dormir, ami, pauvre ami dont j'ai pu douter. »

Faiblesse des forces humaines. Le sommeil m'a ravi cette nuit que j'eusse pu passer tout entière auprès d'elle, au milieu de l'odeur instigatrice des fleurs funèbres, dans cette atmosphère de cercueil, dont on peut tout attendre.

Je couchai dans la chambre de Mlle de Graffenfried. La vieille servante idiote vint, en maugréant, changer les draps de la morte.

*

Ce fut le mardi, 28, qu'eurent lieu les obsèques de Mélusine. Le grand-duc, la grande-duchesse et le duc héritier suivirent à pied le corbillard, dont toute la flore embaumante du Daghestan cachait le suaire blanc.

J'étais perdu dans la foule des officiers, des fonctionnaires du palais, des notables de Lautenbourg. Un escadron du 7e hussards, sur l'ordre de la grande-duchesse, rendait les honneurs. Sur l'ordre du grand-duc, le glas de la cathédrale rythmait de ses coups sourds et espacés la marche du cortège.

Un grand vieillard, visage ascétique à la Moltke, dans les plis brillants d'une antique redingote, venait devant, accompagné d'un lieutenant à figure maussade et rogue, portant l'uniforme bleu des hussards de Brunswick, et c'étaient MM. Richard et Albrecht de Graffenfried, père et frère de la défunte.

Quand le cercueil pénétra dans le temple de la Siegstrasse, un immense froid s'empara de mes vertèbres. J'eus une sorte d'horreur à penser qu'elle, Mélusine, dont le corps voluptueux eût eu un si grand besoin de la molle pompe catholique, appartenait à la religion réformée.

Je n'avais jamais pénétré dans un temple. C'est un endroit terrible. Ici les larmes mêmes n'osent pas surgir, de peur d'être instantanément congelées.

Son corps maigre émergeant d'une espèce de chaire roulante, dans son bizarre accoutrement de vénérable de quelque loge maçonnique, le pasteur Silbermann parla. De l'Ecriture, je ne sais pourquoi, il avait pris pour thème l'épisode de la fille de Jephté. Rien ne convenait moins à la mémoire de la défaillante morte que le rappel du sacrifice de cette morne et dure juive.

Une demi-heure, avec toute l'ardeur que pourrait avoir un professeur de mathématiques démontrant les trois cas d'égalité des triangles, le pasteur parla.

Lorsqu'il commenta la phrase célèbre : *Frappe ce sein qui pour toi se découvre,* mes yeux se portèrent sur la grande-duchesse. Je vis qu'elle pleurait.

Des automobiles nous conduisirent du temple à la gare. Le cercueil fut hissé dans un wagon, avec les pauvres fleurs déjà toutes fripées.

De retour au palais, dans la galerie des glaces, aussi déserte à cinq heures du soir qu'à minuit, je tombai sur le lieutenant de Hagen. Il était pâle et semblait me guetter.

« Monsieur, me dit-il à voix basse, je vous ai

attendu deux heures, avant-hier, au pont de la Meilleraie. »

J'avais, je l'ai dit, oublié complètement notre petit rendez-vous. Je le lui avouai très franchement.

« Puis-je espérer qu'après ceci vous n'aurez plus d'aussi fâcheux oublis? » murmura-t-il avec la même douceur.

En parlant, il effleurait ma joue du gant qu'il tenait de la main droite.

J'eus de la peine à ne pas répondre par un solide soufflet. Son calme feint me sauva.

« Monsieur, lui dis-je, je serai demain matin à six heures à vos ordres.

— Réglons, s'il vous plaît, tout de suite les conditions, me dit-il. Pas de témoins, personne, naturellement. Mais vous êtes l'offensé. Quelle arme choisissez-vous? »

Moins excité que je l'étais, cette question m'aurait jeté dans un grand embarras. Je n'hésitai pas :

« Celle-ci », répondis-je en tirant de ma poche le browning de la grande-duchesse.

Il réprima un mouvement de surprise.

« Ce n'est peut-être pas très régulier, dit-il. Mais qu'importe, entendu. Sept coups, à volonté, à partir du signal. Et pour la distance?

— Dix pas », répondis-je, dans l'insouciance la plus absolue de ce que je disais.

Il eut un pâle sourire :

« Alors, c'est à mort. Qu'il en soit fait, monsieur, selon votre volonté. »

Et il me quitta.

Je trouvai la grande-duchesse dans sa chambre. Je n'y étais plus rentré depuis le drame. Elle me fit signe de m'asseoir et ne me parla pas. Peu à peu, l'obscurité tomba autour de nous. La veilleuse qui brûlait devant l'icône se fit rose. La guzla de Mélusine gisait encore sur le tapis. Nos pensées étaient les mêmes. Elles se reportaient à cet autre bel instrument de volupté qui, à l'heure présente, déjà en proie aux mystérieuses transformations de la terre, lui aussi, ne vibrerait jamais plus.

*

A quelles heures Aurore dormait-elle? Mélusine seule l'a su. Nous entendîmes les oiseaux s'éveiller dans l'aube. Le brusque pépiement des pinsons et des moineaux succéda au triste chant du rossignol. Oiseaux, vous entendrai-je vous éveiller demain?

Je compris qu'il était temps. Rompant avec l'étiquette :

« Permettez-moi de vous quitter, dis-je à Aurore. Je suis fatigué. »

Elle me regarda d'un air de reproche. J'eus l'impression qu'elle pensait : Mélusine, elle, n'était jamais fatiguée.

Ah! si elle savait, me dis-je. Et j'eus, une seconde, la tentation de tout lui raconter.

Je rentrai dans ma chambre, pour en sortir quelques instants après, prenant la précaution de passer par la cour d'honneur pour que, de sa fenêtre, elle ne pût m'apercevoir.

Il était à peine cinq heures quand j'arrivai au pont de la Meilleraie. Cette heure de répit me sembla toute une éternité de bonheur. Jamais la nature ne m'avait paru si belle, jamais je n'avais tant aimé la vie, qu'en ce moment où je pensais que j'allais peut-être la quitter.

A l'épée, je savais que Hagen était un des meilleurs tireurs de la garnison. Il était aussi de première force au pistolet, et moi, mon éducation se bornait à avoir, pendant mes périodes d'instruction comme officier de réserve, brûlé deux ou trois douzaines de cartouches de revolver.

Accoudé à la balustrade, je regardai au-dessous de moi la Melna bondir parmi les roches. De petites truites d'argent sautaient hors du flot écumant. Je me rappelai celles que j'avais pêchées, dix ans plus tôt, dans le gave d'Ossau, entre Laruns et Pont-de-Béon. Où allait cette rivière? Dans l'Aller, qui se jette dans le Weser, qui se jette dans la mer du Nord, qui communique avec la Manche, qui est un bras de l'Atlantique, qui reçoit l'Adour, où se jette, près du bleu bourg de Peyrehorade, le gave de Pau, grossi du gave d'Ossau. Petites truites allemandes, petites truites françaises. Pensées puériles qui servent, quand on va mourir, à remonter le cours de la vie, à lier entre elles les époques qui se disjoignent.

« Je vous demande pardon, monsieur le professeur, de vous avoir fait attendre. Mais il n'est pas tout à fait six heures. »

Hagen. Je ne l'avais pas vu venir. Je ne pensais presque plus à lui.

Nous nous saluâmes.

« J'ai avec moi, m'expliqua-t-il, tout ce qu'il faut pour se battre sans témoins. »

Il avait tiré de sa poche un stylographe et du papier.

« Le browning étant l'arme choisie, dit-il, j'ai apporté le mien. Nous pourrons tirer les armes au sort, si vous le désirez. Mais je crois que c'est inutile, le modèle est le même. En attendant, voulez-vous me faire l'honneur de signer ceci. »

Il avait pris soin de rédiger un acte, en mon nom et au sien, où les deux adversaires reconnaissaient d'avance que tout s'était passé loyalement.

« Au cas où il arriverait un malheur, c'est pour

éviter tout ennui au survivant », crut-il bon de m'expliquer.

On ne pouvait être plus protocolaire.

J'étais curieux cependant de savoir comment serait commandé le feu. Je ne pus m'empêcher de le lui avouer.

Il eut un sourire plein de suffisance.

« J'ai aussi prévu cela », répondit-il.

Ce disant, il déployait un paquet qui contenait un réveille-matin.

« La sonnerie est montée pour six heures dix, m'annonça-t-il. Vous pouvez vérifier. Quand elle retentira, nous pourrons tirer, avec faculté de changer de place. D'ailleurs, c'est mentionné dans le procès-verbal. »

Je ne savais vraiment ce qui l'emportait dans cette façon de procéder, du tragique ou du ridicule.

Hagen comptait les pas.

« Huit, neuf, dix. Monsieur le professeur, vous êtes un peu plus grand que moi. Mesurez à votre tour, si vous voulez, nous ferons la moyenne.

— Inutile, dis-je, cette distance me convient. »

Il s'inclina, tira son browning de sa poche.

« Six heures sept, dit-il. Nous pourrions prendre place. »

Je mis mon pied sur la raie qu'il avait tracée en premier lieu. Nous étions maintenant face à face.

Le réveil était placé sur la balustrade du pont, son cadran visible pour nous deux. Le tic-tac, aigre, perçait le mugissement sourd de l'eau.

Je regardai mon adversaire. Ses yeux, baissés comme ceux d'une jeune fille, fixaient mes pieds.

Six heures neuf.

« Il attend la sonnerie, et moi je regarde l'aiguille, pensai-je. Si le réveil allait sonner plus tôt! »

Soudain, je vis Hagen relever la tête; son beau calme l'abandonna. Une expression terrifiée envahit son visage.

Je me retournai, sans songer que ce geste pouvait me coûter la vie. Au même instant, le réveil sonna, d'une sonnerie stridente, qui ne s'arrêtait plus.

La grande-duchesse Aurore était derrière moi.

Alors je compris pourquoi le lieutenant n'avait pas tiré.

Aurore était maintenant entre nous deux.

« L'un de vous peut-il, messieurs, m'expliquer la raison de cette curieuse mise en scène? » demanda-t-elle froidement.

Elle n'eut pas de réponse.

Le procès-verbal rédigé par Hagen était placé sous le réveil. Elle s'en saisit.

« Je comprends, dit-elle après avoir lu. Des brownings. Monsieur Vignerte, vous faites un bien mauvais usage des objets que je vous confie. Et vous, lieutenant de Hagen. mes compliments. Vous êtes d'une ingéniosité étonnante. »

Sa voix, jusqu'ici ironique, se fit très dure :

« Si, c'est votre façon, messieurs, de me prouver un dévouement dont vous m'avez l'un et l'autre rebattu les oreilles, sachez que je ne la goûte que médiocrement. Monsieur Vignerte, vous êtes étranger, et, partant, excusable d'ignorer la législation d'ici sur le duel. Mais vous, lieutenant, vous la connaissez. »

De Hagen baissa la tête.

« Vous savez notamment qu'un officier du 7e hussards ne doit pas se battre sans avoir obtenu l'agrément du colonel. Pour avoir enfreint ce règlement, le lieutenant Techner a été puni, il n'y a pas un an, de trente jours d'arrêts de forteresse. L'avez-vous oublié? »

Hagen ne répondit pas.

« Vous allez rentrer vous mettre en uniforme, monsieur de Hagen; de là, vous vous rendrez au quartier, et vous vous y tiendrez à la disposition du major de Haugwitz jusqu'à ce que vous soient notifiés, par la voie du rapport, les quinze jours d'arrêts auxquels, en considération de vos services, je limite votre punition. Vous pouvez disposer, monsieur. N'oubliez pas votre réveil. »

Le lieutenant de Hagen fit demi-tour, après avoir salué son colonel.

VIII

Par la fente grise de notre abri, où pénétrait maintenant l'air froid du matin, une forme noire se montra.

« Mon lieutenant, mon lieutenant, il est cinq heures. »

C'était le soldat de l'escouade de garde que j'avais chargé à tout hasard de nous réveiller.

« Dans une demi-heure l'attaque, dit Vignerte. Sortons, j'achèverai dehors cette histoire. Elle touche d'ailleurs bien près de sa fin. »

Toutes les étoiles s'étaient éteintes. Une seule vacillait encore, très bas, vers l'Orient, à l'endroit d'où, dans une heure, la chasserait le petit jour.

Nous nous étions installés sur une corniche, au flanc du ravin; de là, nous dominions la ligne de la compagnie. Nous devions y être à merveille pour suivre les péripéties du coup de main qui allait se tenter.

A notre côté, rectangle obscur de branchages morts, il y avait une humble tombe de soldat. Je pus lire sur la petite croix de bois blanc ces mots déjà lavés par la pluie :

« Mohammed Beggi ben Smaïl, soldat au 2e tirailleurs, mort pour la France le 23 septembre 1914. Priez pour lui. »

J'ai rarement vu quelque chose de plus poignant que cette petite croix demandant naïvement une prière chrétienne pour le pauvre soldat musulman.

Vignerte regardant en face de nous guettait le moment où l'obscurité pâlissante lui permettrait d'examiner le paysage. Mais il ne le pouvait encore. C'est à peine si, au bas du ciel, se distinguait la ligne noire des hauteurs occupées par l'ennemi.

Par-delà Hurtebise et Craonne, dit-il, par-delà Laon, Sains-Richaumont et Guise, par-delà la Capelle et cette forêt du Nouvion où nous chargèrent les cuirassiers blancs, ma pensée bien souvent s'envole vers les sablonneuses plaines du Hanovre, vers Lautenbourg, où j'ai laissé Aurore. Qu'y devient-elle dans sa chambre, parmi ses fourrures et ses pierreries? Qu'ont-ils pu faire d'elle, mon Dieu?

Quand, après la scène du pont de la Meilleraie, nous regagnâmes le palais, elle ne m'adressa pas la parole. Nous déjeunâmes ensemble. Puis elle se mit à disposer dans les vases de lourds iris noirs et des nigelles blanches.

Vers dix heures, elle appela une femme de chambre.

« Mlle Marthe est-elle là? » demanda-t-elle.

Sur une réponse affirmative, elle dit :

« Faites-la entrer. »

Mlle Marthe venait chaque année à cette époque présenter à la grande-duchesse les mille charmants bibelots de la saison parisienne. Un peu du parfum du boulevard de la Madeleine entra avec cette fine et jolie fille.

« Vous avez fait bon voyage, mon enfant? demanda Aurore.

— Je suis arrivée hier soir, madame, répondit la

jeune fille. Excusez-moi de venir si tôt déranger Votre Altesse, mais je suis obligée de repartir ce soir.

— Que m'apportez-vous de beau cette année? »

Mlle Marthe retira de ses cartons les petits bijoux de l'industrie parisienne, les éventails de tulle, les sacs à main de velours et de moire, les minuscules boîtes à timbres, à poudre, à mouches, tout ce menu luxe près duquel les autres ont figure de parvenus.

« Laissez-moi tout cela, dit Aurore. Vous direz à Duvelleroy qu'il s'arrange. Il me faut pour novembre un éventail de Watteau ou à la rigueur de Lancret; je le veux quand j'arriverai à Paris.

— Votre Altesse l'aura, répondit avec assurance la jeune fille.

— Parfait. Vous prenez ce soir l'express de cinq heures. Je vous garde à déjeuner. Vous me raconterez un peu ce qui se fera l'hiver prochain, rue de la Paix. »

Tout le long du repas, j'admirai l'aisance simple avec laquelle elle répondait, cette petite Parisienne, aux questions de la grande-duchesse. J'étais fier de ma jolie compatriote, en voyant Aurore, si pleine de morgue envers les femmes de Lautenbourg, traiter celle-ci comme une égale. Mais avec quelle ferveur je contemplais surtout la maîtrise de cette princesse qui, après trois jours et trois nuits de nature à briser un homme énergique, trouvait le moyen de discuter avec nonchalance les mille petits détails de la mode de Paris.

« Alors, vous me conseillez toujours Carlier?

— Oui, madame. C'est encore ce qu'il y a de mieux comme chapeaux.

— Laurence n'est plus rue des Pyramides. Elle a monté un grand bazar rue Auber. J'irai peut-être y faire un tour.

— Que Votre Altesse y aille, sans plus. Laurence,

c'est surtout une maison d'exportation. Elle fait la plupart de ses affaires avec les commissionnaires étrangers. »

J'étais heureux de ce bavardage, de cette note futile et claire intercalée au milieu des événements tragiques qu'elle me faisait presque oublier.

Vers trois heures, la grande-duchesse remit à Marthe une enveloppe.

« Voici pour votre voyage, ma chère petite. Je ne veux pas vous faire manquer votre train. Une auto vous conduira à votre hôtel, et de là à la gare. J'ai été très satisfaite. Pensez à mon éventail. Allons, au revoir. En novembre, j'irai vous faire une visite. »

Quand le petit rayon de soleil se fut éclipsé, la grande-duchesse resta un moment songeuse, maniant les bibelots dispersés à travers la chambre, puis elle me dit :

« Monsieur Vignerte, j'ai une nouvelle d'importance à vous apprendre. »

Je répondis par un avide regard d'interrogation.

« J'ai donc l'honneur de vous informer, continua-t-elle, que je viens de recevoir une lettre, une lettre de M. de Boose. »

Et comme je m'étonnais :

« Pensez-vous, me dit-elle, que cette gentille Marthe ait fait le voyage de Paris pour m'apporter uniquement les babioles — d'ailleurs charmantes — de M. Duvelleroy? »

*

Vendredi. Huit heures du soir.

Nous venions de finir de dîner. Un valet de chambre entra, porteur du courrier du soir — une dizaine de lettres — qu'il remit à la grande-duchesse.

« Tu permets, ami? » me dit-elle.

Elle regardait, l'un après l'autre, les cachets des enveloppes. Puis, elle en ouvrit une.

« C'est cela », me dit-elle après l'avoir lu.

Elle me tendit la lettre.

C'était une demande de subvention d'une société philanthropique de Hambourg. On avisait la grande-duchesse d'une kermesse au profit des crèches ouvrières pour le lundi suivant.

« Nous irons, dit Aurore simplement. C'est le signal convenu avec Boose. »

Depuis deux jours, je savais tout. Elle m'avait dit comme quoi elle avait écrit, dès que je lui avais remis le document découvert dans les *Petermanns Mittheilungen,* au baron de Boose, au Congo. Quels arguments avait-elle pu faire valoir auprès de cet homme, je ne l'ai jamais su. Toujours est-il que la lettre apportée par Marthe avisait la grande-duchesse qu'il venait de quitter l'Afrique. Maintenant, il était arrivé à Hambourg. Nul doute qu'il n'eût à faire des révélations d'importance.

« J'y ai mis le prix », murmura Aurore avec son pâle sourire.

« Nous irons demain », reprit-elle.

Elle me regarda, réfléchit un moment, puis me dit :

« Ami, tardivement peut-être, il me vient des scrupules, j'abuse de ton dévouement. Sais-tu que tu es embarqué dans une redoutable histoire?

— Et vous? lui dis-je.

— Moi, c'est différent. Je lutte pour ma liberté, qui m'est plus que ma vie. Et puis, malgré tout, je suis la grande-duchesse de Lautenbourg, et surtout la princesse Tumène. Derrière moi, il y a le Tsar, toute la grande Russie. On peut y regarder à deux fois. Mais toi, ami, songe à Cyrus Beck, songe à Mélusine. Pourquoi, à quoi te sacrifierais-tu? »

Il y avait un tel reproche dans le regard que je lui lançai, qu'elle, l'altière, la méprisante altesse, baissa la tête.

« Pardon », murmura-t-elle.

Puis elle dit :

« Eh bien, c'est entendu. Nous partons demain. Sonne. Je veux donner les ordres nécessaires. »

Je pressai une sonnette électrique. Des pas retentirent. On frappa à la porte.

« Entrez », dit Aurore.

La porte s'ouvrit.

« Ah! » murmura simplement la grande-duchesse.

Le lieutenant de Hagen venait de paraître sur le seuil.

Il était un peu pâle, raidi dans l'attitude du garde-à-vous, la main droite au colback dont la jugulaire de cuivre était passée sous son menton crispé.

« Lieutenant de Hagen, vraiment! dit Aurore qui s'était ressaisie, depuis quand les officiers aux arrêts ne restent-ils plus à la citadelle? »

Hagen, immobile et froid, se taisait.

« Me ferez-vous la grâce de m'expliquer, monsieur?... Vos arrêts n'ont pas cessé, que je sache?

— Ils ont cessé, Altesse, murmura Hagen.

— Ils ont cessé? s'écria la grande-duchesse. Devenez-vous fou, monsieur de Hagen?

— Non, Altesse, dit le petit lieutenant, d'une voix basse et obstinée. Mes arrêts ont cessé depuis ce soir.

— Cessé! clama Aurore, hors d'elle-même. Savez-vous, lieutenant, à quoi vous vous exposez à poursuivre cette plaisanterie? Savez-vous qu'une seule chose, une seule, peut interrompre des arrêts infligés par moi?

— Je le sais, Altesse, dit Hagen.

— Et que cette chose est...

— Est la guerre », acheva le lieutenant.

Cela peut vous paraître invraisemblable : au milieu des drames successifs dont la cour de Lautenbourg venait d'être le théâtre, les grands événements de la dernière semaine de juillet nous avaient passé à peu près inaperçus. Nous avions bien prêté quelque attention à la note serbe, mais, depuis la nuit de la salle des Armures, rien n'avait plus existé pour nous que les faits que je vous ai rapportés, rien, ni ultimatum autrichien, ni *Kriegszustand* allemand, rien, dis-je. Et maintenant, ce mot si simple : la guerre.

Anéanti, je regardai Hagen. Il avait troqué sa pelisse rouge contre le dolman de campagne, gris vert.

Surmontant son étonnement pour retrouver le plus de froideur possible, Aurore demanda :

« La guerre, vraiment, monsieur de Hagen, et avec qui?

— Ce soir avec la Russie, Altesse, probablement, dit le petit lieutenant, et demain sans doute avec la France. Le grand-duc, arrivé il y a une heure de Berlin, a apporté avec lui l'ordre de mobilisation du corps d'armée. »

Aurore alla à la fenêtre, l'ouvrit toute grande. Il faisait une chaleur lourde.

« Et le grand-duc, lieutenant, vous a sans doute chargé de venir m'aviser de cette importante nouvelle... Je ne vois pas, en ce cas, l'utilité de vous être fait accompagner par les autres hussards que j'aperçois en bas, à la porte. »

Hagen rougit violemment, puis pâlit.

« Altesse! murmura-t-il.

— Quoi? dit-elle avec hauteur.

— Je suis chargé d'une autre mission. Vous m'excuserez...

— Allons, allons, lieutenant, ne tremblez pas ainsi

Si vous n'êtes pas capable même d'énoncer ce dont il s'agit, vous n'aurez jamais la force de l'accomplir. Parlez donc, je suis prisonnière dans le palais, n'est-ce pas?

— Oh! Altesse, s'écria Hagen, comment avez-vous pu penser...? Moi, accepter...

— De quoi s'agit-il alors? »

Le lieutenant tourna sans mot dire les yeux de mon côté.

« Madame, dis-je en m'avançant, ne vous mettez pas l'esprit à la torture. Mais vraiment, monsieur de Hagen, il est si simple de dire que vous êtes chargé de m'arrêter. »

Il y eut un silence.

« Est-ce vrai, monsieur? » dit la grande-duchesse.

Hagen baissa la tête.

« Pouvez-vous me donner la raison de cette arrestation?

— Madame, dit Hagen, qui reprenait un peu d'aplomb, je ne suis qu'un soldat, j'obéis aux ordres que je reçois, sans les discuter. Mais il est aisé de comprendre : M. Vignerte est Français, et de plus officier. La France mobilise contre nous. Des avions français ont, paraît-il, déjà bombardé...

— Vous êtes soldat, monsieur, et vous obéissez aux ordres que vous recevez, interrompit la grande-duchesse. C'est très bien, mais cet ordre-là, pouvez-vous m'assurer que vous ne l'avez pas sollicité? »

Hagen ne répondit pas, mais le regard de haine qu'il me lança était suffisamment explicite.

La grande-duchesse me dit brusquement :

« Habillez-vous. »

Elle-même mettait un grand manteau sombre. Puis elle alla à son secrétaire, je la vis y fouiller, prendre divers objets qu'elle glissa dans les immenses poches de son vêtement.

« Monsieur de Hagen, dit-elle, en redescendant, c'est à la citadelle que vous devez conduire M. Vignerte? A quelle heure?

— Il faut qu'il y soit à dix heures, Altesse. »

Alors, avec un sourire d'un infini mépris, elle lui mit la main sur l'épaule :

« Ainsi, dit-elle, tu as pu te figurer une seconde que j'allais te laisser l'écrouer? »

Une majesté écrasante était dans son regard, dans sa stature, dans sa parole; je vis le lieutenant baisser la tête; il tremblait de tous ses membres.

« Ludwig de Hagen! poursuivit-elle. Un jour, voilà quatre ans, j'appris qu'un officier du 7e hussards avait joué, avait triché. C'était pour lui le déshonneur et la mort. Le lendemain, les dettes de cet officier étaient payées, l'affaire était étouffée, et lui-même, pris par moi comme officier d'ordonnance, étonnait toute la garnison par son étrange et rapide fortune. On en fit des commentaires que j'ai méprisés. Tu sais, toi, qu'il n'y a eu, dans mon geste, que le désir d'arracher à l'infamie un homme jeune, brave, porteur d'un grand nom et que je croyais loyal.

« Celui-ci, dit-elle en me désignant, par contre, non seulement ne me devait rien, mais encore, par des soupçons injustes, je l'ai tout d'abord chargé d'indifférence et de mépris. Il ne s'est pas rebuté. Il a, dans l'ombre, travaillé pour moi. Ce qu'il a fait, il n'en connaît peut-être même pas encore toute l'importance. Il savait en tout cas qu'il risquait sa vie. — Et maintenant, c'est l'homme qui me doit tout qui vient pour arrêter celui à qui je dois tout. »

Des larmes coulaient sur le visage du petit hussard.

« Que voulez-vous que je fasse? murmura-t-il d'une voix tremblante et rauque.

— Que tu paies la dette que tu as contractée à mon endroit, répliqua Aurore. Le jour en est venu, et je ne peux pourtant pas te plaindre de t'en être mis toi-même dans le cas.

— Ordonnez, dit-il, j'obéirai.

— Descends, et commence par renvoyer ces soldats. Trouve un prétexte qui ensuite ne te gêne pas.

— Maintenant, dit-elle, quand il fut de retour, va dans la remise. Il y a encore des chauffeurs. Fais sortir la grande *Benz* grise, avec le plein d'essence, phares éteints, et conduis-la toi-même en bas. Il est neuf heures moins vingt; sois là à moins dix. »

Ayant déployé sur la table une carte routière, Aurore la regardait : « C'est évidemment plus court par Aix-la-Chapelle et la Belgique, murmura-t-elle. mais je connais mieux la route de Wiesbaden et de Thionville.

« Es-tu prêt? demanda-t-elle.

— Qu'allez-vous faire? interrogeai-je.

— Te reconduire en France, donc. »

Elle ajouta :

« J'ai mis dans la poche de ton pardessus de l'argent et un revolver : avec cela on va partout. »

Ami, Aurore était bien belle alors. Si vous aviez pu la voir ainsi, vous excuseriez l'émotion qui à cette minute brise ma voix.

Un ronflement sourd retentit sous la fenêtre. La *Benz* était là.

« Viens », dit Aurore.

Au même instant, Hagen rentrait.

Comme sa morgue têtue était loin, maintenant. Il se laissa tomber aux genoux de la grande-duchesse.

« Partir, vous partez, avec lui, pour toujours », murmura-t-il, dans un sanglot.

Elle le regarda avec plus de douceur.

« Ayant eu cette idée, monsieur de Hagen, dit-elle, vous n'en avez que plus de mérite d'avoir obéi. Sachez donc que je ne pars pas. Je suis liée à ces lieux que je déteste par la tâche qu'il m'y reste à accomplir. Mais, pour l'instant, mon devoir est de sauver celui qui a tout sacrifié pour moi.

— Ah! merci, merci, dit le jeune homme.

— Attendez encore pour me remercier, dit-elle. Monsieur de Hagen, vous avez sur vous, je présume, votre carte d'identité et votre ordre de mobilisation? »

Il se releva en chancelant.

« Mon ordre de mobilisation? répéta-t-il, très pâle.

— Oui, dit-elle avec calme, faites-moi le plaisir de les remettre à M. Vignerte. D'ici la frontière, nous pouvons être arrêtés. Je sais bien que je n'aurais probablement qu'à me nommer pour avoir finalement raison. Mais nous pouvons tomber sur des consignes stupides. Il ne faut pas perdre du temps. Le lieutenant de Hagen passera partout. — Allons vite. »

L'officier était d'une pâleur mortelle. Un combat atroce se livrait dans cette âme.

« C'est mon honneur que vous me prenez là, madame, dit-il enfin.

— Je ne ferai jamais que reprendre ce que je vous ai rendu, monsieur de Hagen, répondit impitoyablement Aurore. Mais il ne faut rien exagérer. Vous ne serez compromis que si vous le voulez bien. Je ne vous demande que deux choses, avertir seulement après dix heures que nous sommes partis, et vous arranger pour qu'on croie que nous avons pris la route d'Aix-la-Chapelle. Si le grand-duc a assez peu de vergogne pour faire jouer téléphone et télégraphe, il ne faut pas que ce soit dans notre direction. — Allons, au revoir; demain, à pareille heure, je serai de retour. »

Elle lui tendit une main qu'il mouilla de ses larmes.

« Je puis compter sur toi, ami? » dit-elle.

Etranglé par l'émotion, il fit signe que oui.

Emu moi-même, profondément, je m'approchai et offris aussi ma main à celui qui risquait tout à cette heure pour moi. Mais il se recula et me répondit avec un regard de haine indicible :

« Monsieur, je prie Dieu pour que nous nous retrouvions bientôt ailleurs. »

Aurore haussa les épaules; je l'entendis qui murmurait quelque chose sur la stupidité des hommes. Mais elle était déjà dans l'escalier. Je la suivis, ayant jeté un dernier regard sur la chambre aux fourrures, aux pierreries, aux belles fleurs pâles...

« Monte », dit-elle à voix basse.

Je pris place dans le baquet de la formidable automobile. Nous démarrâmes.

Quand nous passâmes sur le pont de la Meilleraie, neuf heures sonnèrent aux clochers de Lautenbourg et à la vieille tour du château.

*

L'interminable ruban blanc de la route brillait doucement sous la lune. L'automobile y dévalait sans bruit avec une vitesse vertigineuse. Dans les virages, je sentais la prodigieuse sûreté de main de ma conductrice.

Tout cela s'était accompli avec une telle rapidité que, lorsque je revins à moi, nous avions bien déjà accompli une centaine de kilomètres. Alors la phrase d'Aurore : « Demain, à pareille heure, je serai de retour », revint à ma mémoire, et je songeai que, dans quelques heures, j'aurais quitté la grande-duchesse.

Je ne m'insurgeais pas. L'allure folle qui nous

emportait développait en moi un engourdissement fatal où je découvrais une sorte de bien-être. Les bouquets d'arbres noirs, les ponts en dos d'âne sur les rivières d'argent gris fuyaient, fuyaient. Nous croisâmes une voiture chargée de foin : cinquante centimètres plus à gauche, c'eût été la mort. La mort, je répétai ce mot, je regardai le visage fermé d'Aurore; sur le volant roux ses mains gantées de clair mettaient de fines barres blanches.

Et puis, soudain, je pensai à la guerre. C'était donc vrai? Comment allais-je trouver mon pays? Mais, je l'avoue, à ma honte, cette idée ne put retenir mon attention, tant l'ivresse de la vitesse me berçait, m'arrachait à moi-même. A cette heure, j'avais la plus sereine insouciance de ce qui pouvait encore m'arriver.

Un abat-jour carré rabattait la lumière d'une lampe électrique sur la carte routière, mais Aurore ne la consultait presque pas. Elle connaissait cette route à merveille. Je me rappelai qu'elle m'avait dit l'avoir faite nombre de fois, en allant aux eaux.

Elle savait, au moment voulu, contourner à point les villes, dont la lueur rouge grandissait, venait à droite ou à gauche, puis dépassée, disparaissait. Trois ou quatre fois, elle me dit : « Cassel, Giessen, Wetzlar... »

Cassel, Giessen, Wetzlar! que m'importait?

Sous la lumière, près du spidomètre, une montre brillait. Mais je ne voyais pas les heures. Je ne pensais plus...

Sans ralentir, nous traversâmes une cité montueuse, avec des maisons perdues dans des entassements de verdure noire.

« Wiesbaden! murmura Aurore; ma villa, dit-elle, en passant devant une de ces maisons. Il n'est pas une heure. Nous avons bien marché. »

Elle prit à droite, à un embranchement. Dans le lointain, à gauche, la lueur d'une grande ville éclaira le bas du ciel.

« C'est Mayence, dit-elle, et voici le Rhin. »

A toute vitesse, nous traversâmes le fleuve sacré sur un pont suspendu. Il coulait en bas en mugissant. On voyait, par endroits, dans des interstices de nuages, son écume verte.

A la sortie du pont, nous entendîmes vaguement un ordre, un *werda* rauque, puis, le bruit sec d'un coup de feu.

« Ils ont tiré, dit Aurore, nous nous rapprochons de la frontière. Il va falloir être un peu prudent. »

Je regardai la boussole. Nous filions droit vers l'ouest. Le spidomètre marquait 105. J'eus, pour la première fois, un mouvement de stupeur.

Aurore le vit, et sourit :

« Entre Wetzlar et Wiesbaden, nous avons fait du 145 », dit-elle simplement.

Bientôt, une nouvelle lueur rouge apparut à l'ouest

« Thionville, dit Aurore, cela doit être pourri de troupes. »

A ma grande surprise, je vis qu'elle ne manœuvrait pas pour éviter la ville, comme elle l'avait fait jusqu'ici. En droite ligne, les phares maintenant allumés, nous marchions sur la place forte, dont les murailles montaient peu à peu dans le ciel.

L'automobile ralentissait. Des maisons, des faubourgs. Puis un *werda* impérieux : nous stoppâmes.

Une douzaine de soldats nous entouraient. Tous portaient l'uniforme gris vert, avec le casque encapuchonné.

« Vos papiers! dit la voix rude du sous-officier.

— Je les montrerai à votre lieutenant, répondit Aurore, je vous prie d'aller le chercher. »

Justement celui-ci arrivait. Une espèce de colosse blond, furieux d'être troublé dans son sommeil. Quand il aperçut des civils, il nous interpella sans mansuétude.

« Monsieur, dit la grande-duchesse sèchement, je vous demanderai d'abord d'empêcher vos soldats de donner des coups de crosse dans ma carrosserie. Ensuite vous voudrez bien regarder ceci. »

En même temps, elle faisait jouer sa lampe électrique, de manière à éclairer les armes de Lautenbourg, peintes sur la portière.

L'officier sursauta.

« Est-ce à Son Altesse la grande-duchesse de Lautenbourg-Detmold que j'ai l'honneur...? murmura-t-il en se raidissant au garde-à-vous.

— A elle-même, monsieur le lieutenant, répondit Aurore.

— Que Votre Altesse daigne m'excuser, dit l'autre abasourdi. Arrière, vous! criait-il en même temps à ses soldats dont il écarta violemment les plus rapprochés. En quoi puis-je être agréable à Votre Altesse?

— En ceci simplement, dit la grande-duchesse. C'est bien toujours le général von Offenbourg qui commande à Thionville? Je doute qu'en une nuit pareille Son Excellence se repose. Faites-moi conduire auprès d'elle. Donnez-moi un de vos hommes, il montera dans l'automobile et nous montrera la route. »

L'officier fit immédiatement le nécessaire, en s'inclinant très bas, regrettant que son service l'empêchât de nous guider lui-même.

Le général commandant la place n'était pas au quartier. Nous finîmes par le trouver à la gare avec son état-major. Les quais de débarquement étaient noirs des troupes dont il surveillait les mouvements. Sur la place, un innombrable matériel d'artillerie dressait dans la nuit des silhouettes antédiluviennes. Il y avait là une impression de force et de puissance brutales qui me fit frémir.

Quand un officier d'ordonnance lui eut appris la présence de la grande-duchesse, le général von Offenbourg s'empressa. Très beau dans sa longue pelisse grise à collet ponceau, il s'inclinait devant Aurore en lui rappelant qu'il avait eu l'honneur de danser avec elle à Berlin. Mais il avait beau faire, il cachait mal l'étonnement que lui causait, à cette heure, en cet appareil, notre présence.

« Ne soyez pas trop surpris, général, dit Aurore en souriant. Dès que j'ai été avisée des grands événements qui se préparent par ici, je n'ai pas tenu en place à Lautenbourg. J'ai voulu admirer nos troupes à la frontière, et me voilà partie avec mon officier d'ordonnance : lieutenant de Hagen, du 7e hussards », dit-elle en me présentant.

Je saluai avec toute la raideur dont je suis capable

« Altesse, s'exclamait von Offenbourg, pourquoi alors êtes-vous par ici! Rien de bien intéressant, le 16e corps est un rocher, il ne bouge pas. Mais que n'êtes-vous allée du côté d'Aachen?

— Vraiment, dit-elle, on me l'avait dit. Du côté d'Aix-la-Chapelle...?

— Vous savez bien que toute l'armée se concentre par là, nous souffla le général.

— C'est vrai, dit Aurore. Mais la frontière belge ne m'intéresse pas : par contre, je ne me serais jamais pardonné de n'avoir pas vu, au matin de la guerre, la frontière française.

— Je salue en vous l'intrépide colonel du brave 7e hussards, dit galamment von Offenbourg en lui baisant la main. Puis-je vous être utile?

— Naturellement, dit Aurore. Savez-vous que vos sentinelles m'ont arrêtée tout à l'heure sans aucun égard? Je vous demanderais bien une escorte, mais ma *Benz* serait obligée de beaucoup se fatiguer pour se mettre à l'allure de vos dragons. Qu'ils me conduisent jusqu'à la limite des postes, et donnez-moi un laissez passer quelconque qui me préserve au retour de semblables désagréments. Dépêchons-nous, voici l'aube, et je veux voir le soleil éclairer en naissant le poteau frontière. »

Le général se fit apporter un laissez-passer.

« Là, dit-il en le paraphant. Vous avez le temps. Villerupt qui est, en France, à deux kilomètres des poteaux, est à peine à vingt kilomètres... Vous y serez avant une demi-heure. Mais n'espérez pas apercevoir les soldats français. Leur gouvernement leur a donné l'ordre de reculer à deux lieues en arrière de la frontière pour éviter tout incident susceptible d'entraîner la guerre », acheva-t-il avec un rire narquois.

Encadrés d'un demi-peloton de dragons, nous sortîmes magnifiquement de Thionville. Quand nous eûmes parcouru deux kilomètres sur la route d'Audun-le-Roman :

« Ils sont bien gentils, me dit à l'oreille la grande-duchesse, mais ils deviendraient, à la longue, gênants. »

Et elle donna à la voiture toute sa vitesse.

Derrière, dans le jour qui commençait à poindre, les dragons, littéralement semés, avaient, au bout d'une minute, disparu sur la route noire.

Le vent froid de l'aube glissait contre mes tempes. Maintenant une immense émotion me prenait, et vraiment, en cet instant, je n'ai plus pensé à cette femme à qui j'eusse tout sacrifié, que j'allais quitter pour jamais. Je regardais devant moi les petites collines qui naissaient une à une au jour. La prodigieuse originalité de mon retour m'échappait et faisait place à un sentiment plus poignant et fort.

Il fut à son comble quand l'automobile ayant stoppé avec une brusquerie qui faillit me précipiter sur le brise-bise, la grande-duchesse m'eut désigné, sans mot dire, à droite de la route, à dix pas de nous, le poteau frontière.

Haut de deux mètres avec son côté noir et blanc à droite; bleu, blanc, rouge, à gauche, il était en cette minute quelque chose d'infiniment troublant.

Je regardai la grande-duchesse, et j'eus un grand bonheur à reconnaître sur ce visage fermé de l'émotion.

Il ne faisait pas encore tout à fait jour. L'automobile avait ralenti énormément. Il semblait qu'Aurore eût voulu me laisser contempler au passage les petites fleurs de la nuit que le vent faisait frémir aux pentes des ravines.

Et soudain, je saisis le bras de ma compagne. L'auto s'arrêta. En haut d'un coteau qui dominait la route, sur le ciel où il se profilait en sombre à moins de deux cents mètres, un cavalier, immobile, venait d'apparaître.

C'était un dragon français. On voyait le manchon jaune du casque, la flamme rouge et blanche de la lance. Puis il y en eut deux, puis dix, puis vingt, et ils s'avancèrent au petit galop à notre rencontre.

« Cette fois, dit Aurore en souriant, c'est toi qui vas leur parler. »

Un officier était devant. C'était un grand jeune homme brun et pâle. La jugulaire barrait d'un trait d'or sa moustache noire. Ayant salué du sabre, il nous demanda notre permis de circuler.

« Monsieur, répondit la grande-duchesse, je préfère vous avouer que je ne possède rien de semblable, car je doute que vous veuilliez vous contenter de ceci, qui m'a été délivré par le général allemand de Thionville », dit-elle en exhibant le laissez-passer de von Offenbourg.

Le jeune lieutenant eut un geste qui pouvait signifier que les circonstances ne prêtaient pas à la plaisanterie.

« Monsieur, reprit Aurore, après avoir, d'un regard, jugé de mon incapacité complète à fournir en ce moment un renseignement, il est des choses trop longues à expliquer, sur une route, d'automobile à cheval. Voici les faits : je suis la grande-duchesse de Lautenbourg-Detmold. M. Vignerte, mon compagnon, est officier français, lieutenant comme vous. Je ne sais si, en France, on a déjà pris la précaution d'arrêter les Allemands. En tout cas, en Allemagne, on en use depuis hier ainsi vis-à-vis des Français. On voulait arrêter monsieur; je vous le ramène. C'est tout. »

Et semblant prendre en pitié l'extraordinaire surprise qui se peignait sur les traits du dragon, elle ajouta :

« Je dois peut-être ajouter, monsieur, que je suis d'origine russe, afin que vous n'ayez plus à redouter ni moi, ni mon présent. »

L'officier avait mis pied à terre. Il s'inclina respectueusement devant Aurore, qui venait de descendre avec moi d'automobile.

« Lieutenant de Coigny, du 11e dragons, de Longwy », dit-il.

Je me présentai. Nous nous serrâmes la main.

« Vous revenez de loin, mon cher camarade. Qu'allons-nous faire de vous?

— Vous avez bien un cheval à lui prêter, dit la grande-duchesse. Maintenant, si j'ai un conseil à vous donner, conduisez-le vite près de vos autorités civiles ou militaires. Il arrive d'Allemagne, il sait des choses qui pourront être utiles à ce pays où les fleurs sont jolies, mais où on me paraît se garder assez mal. »

Elle regardait en disant ces mots un bouquet d'églantines sauvages qui pendaient le long de la ravine. M. de Coigny, en attirant à lui les branches les plus fleuries, fit une gerbe rose qu'il tendit à la grande-duchesse.

« Merci, monsieur, dit-elle avec un sourire charmant au jeune homme que son incroyable beauté laissait fasciné. Voulez-vous être assez aimable pour faire ranger vos chevaux? La route est étroite, et il faut que je fasse virer ma voiture. »

Alors, j'éclatai en sanglots.

Toute mon indifférence de la nuit, toute l'émotion subite que je venais de ressentir en pénétrant en France, cela disparaissait, n'existait plus. Je ne pensais plus qu'à une chose : dans un quart d'heure, pour toujours, je l'aurais perdue.

M. de Coigny avait fait éloigner ses hommes. J'entendis la grande-duchesse qui lui disait, d'une voix si douce :

« Excusez-le, monsieur, il vient de supporter des secousses nerveuses comme la guerre ne lui en apportera jamais. »

Maintenant, je sentais sa main sur mon front.

« Courage, ami, disait-elle à voix basse, mais forte. Tu vas rentrer chez toi dans ton pays, qui est beau et que j'aime. Il aura besoin de toi, car ce sera dur, plus dur que tu ne peux le croire. Mais tu connaîtras les belles choses, les chevaux au galop dans le soleil d'août, les enivrements sublimes, où on ne raisonne plus, tout ce par quoi enfin une femme comme moi peut regretter de n'être pas un homme.

« Ce sera dur, dur. Mais là-bas, par-delà les frontières, d'autres cavaliers se préparent, ceux qui ont des bonnets d'astrakan, qu'on appelle les grosses têtes, qui ont un sabre recourbé, un fouet de plomb, et qui chargent avec un cri si terrible : *Huâ, huâ, huâ,* que les plus courageux deviennent stupides et jettent leurs armes pour mieux fuir les cosaques de Tumène.

« Songe que tu n'es pas à plaindre. Et réfléchis, si tu en veux la certitude, sur la destinée de celle qui va rentrer à Lautenbourg sans toi.

— Hélas, murmurai-je à travers mes larmes. Restez, ne retournez pas là-bas. Songez à ce qui peut vous attendre! »

J'entendis sa voix devenir sifflante!

« Petit, petit, je croyais à mon contact que tu aurais fini par acquérir une idée de ce qu'est la haine. Boose est de retour. As-tu donc oublié la cheminée de la salle des Armures, et les lettres du Congo, et toute la mystérieuse contradiction, et penses-tu qu'au moment où je vais percer le secret du crime, j'abandonnerai le criminel? »

Mes larmes redoublaient, et soudain je sentis une immense douleur baigner mon désespoir, tandis que sur mon front une seconde, se posait un baiser...

Brusquement, je me dressai, poussant un cri terrible; comme un fou, je me mis à courir sur la route jusqu'au moment où, ayant buté, je tombai tout de mon long dans le fossé.

Lorsque, hagard, brisé, je me fus relevé, l'automobile n'était plus, vers l'est, qu'un imperceptible point gris.

*

A Audun-le-Roman, où je fus vers sept heures, grâce au cheval qu'un des dragons de M. de Coigny avait mis à ma disposition, une automobile fut immédiatement réquisitionnée et m'emporta vers Nancy.

Je m'étais attendu à trouver la mobilisation déjà

ordonnée en France. Il n'en était rien. Alors le souvenir des formidables préparatifs que j'avais entrevus cette nuit et qui ne laissaient plus aucun doute devint pour moi la plus obsédante des pensées.

Je fus conduit sur-le-champ à la préfecture et introduit auprès du préfet. Je lui fis un récit aussi détaillé que possible de tout ce que j'avais pu voir et entendre. Il m'écouta avec la plus vive attention, prenant des notes. Quand je le quittai, il était en train de téléphoner à Paris les renseignements que j'avais pu lui fournir.

J'errai dans les rues de Nancy. Mon train partait à midi.

Trop énervé pour me reposer, j'entrai dans un café, place Stanislas. Ayant fouillé dans ma poche pour payer, j'en retirai le portefeuille qu'y avait mis Aurore. Jamais je ne m'étais trouvé aussi riche qu'en cette minute où l'argent, jadis tant désiré, n'avait plus de prix pour moi.

Je passai dans une grande rue et m'arrêtai sans savoir devant un magasin. J'entrai et y achetai la tenue que vous me voyez encore, ne remarquant même pas, tant mon hébétude était grande, que la vareuse bleue avait remplacé, pour la tenue de campagne, le dolman noir à col rouge.

A midi, le train m'emportait vers Paris. Pour la première fois, je vis alors ces paysages que la retraite nous a rendus inoubliables : Dormans, avec son pont que nous avons traversé le 2 septembre, dans une tristesse que la date de Sedan faisait plus effroyable, la douce route de Jaulgonne où nous avons poursuivi l'ennemi, Château-Thierry sur la Marne, avec son haut château ruiné, où, pour la dernière fois, nous avons pu dormir dans un lit.

Il était 5 heures 20 quand le train s'arrêta en gare

de Château-Thierry. Ce fut là que j'appris la nouvelle de la mobilisation générale. Il était maintenant dressé, le mur de fer et de feu par lequel j'étais séparé de ma bien-aimée souveraine de Lautenbourg.

Une pesante atmosphère d'orage régnait, sous laquelle le grand Paris était calme cependant, quand je débarquai à la gare de l'Est. O ville, j'avais jadis tant craint pour toi, quand cette terrible minute viendrait, ton émotivité, ta passion, ce que peut contenir de brouillon l'enthousiasme. Et voici que cette heure avait sonné, et que le meurtre même n'avait pas réussi à troubler ton calme, le meurtre de celui qui prétendait, à son gré, maintenir la révolution ou la déchaîner.

Mon ordre de mobilisation avait disparu dans l'incendie du château de Lautenbourg, mais je m'en préoccupai peu, connaissant par cœur son contenu, et étant décidé à partir dès le lendemain matin pour Pau, rejoindre le 18e d'infanterie.

Dans une chambre d'hôtel, je revêtis mon uniforme, puis, descendant la rue Lafayette, je me dirigeai vers le centre de la capitale.

Les gens étaient plus fiévreux que bruyants. Beaucoup de soldats, d'officiers comme moi déjà, mais tous avec à leur bras une mère, une femme, qui les regardaient avec un indicible mélange de fierté et d'émotion. Et moi, j'étais seul, seul en ce soir tragique, plus seul encore dans cette ville que le soir où je l'avais quittée.

Où allais-je, je ne le savais pas encore. Mais je le compris mieux quand j'eus atteint la rue Royale avec ses terrasses éclairées et bondées de monde. Devant chez Weber, je pensai à Clotilde. C'est août, elle n'a plus son renard blanc. Elle doit porter une blouse de soie claire... Puis, le souvenir de cette fille me fit horreur.

Les verdures des Champs-Elysées commençaient à s'assombrir sous le ciel mauve. Je tournai à droite et pris les petites allées qui, avec leurs grands arbres et leurs casinos font penser à une ville d'eau. Des automobiles s'arrêtaient en grondant devant des restaurants éclairés. Des chasseurs ouvraient les portières.

J'étais arrivé à l'avenue Gabriel, sombre comme un tunnel de feuillage. A pas lents, je la remontai. Une angoisse infinie secouait tout mon être. Bientôt, je vis des vitres briller.

Sur la porte d'un restaurant, je lus ce mot : Laurent.

Alors, je m'assis en face, sur le banc que je savais y être. A tâtons, mes doigts suivirent le rude dossier de bois, se heurtant de-ci, de-là, aux grosses têtes rondes et plates des clous.

Soudain, ils s'arrêtèrent. Ils avaient trouvé ce qu'ils cherchaient. Je me penchai et n'eus pas de peine, bien que la nuit fût tout à fait venue, à déchiffrer les trois signes, les trois lettres A.A.E., que la petite princesse Tumène avait jadis gravées là.

ÉPILOGUE

« Mon histoire est finie », dit Vignerte.

Il se tut, et je respectai son silence. Puis, peu à peu, nous sentîmes nos deux pensées se détacher du drame qu'il venait d'évoquer et se reporter sur celui qui allait maintenant se dérouler devant nous.

Il était six heures moins un quart. On ne voyait pas encore le jour, mais on sentait qu'il ne tarderait plus à naître. Derrière nous, en silence, les quatre hommes de liaison nous avaient rejoints, un par section.

Six heures!... L'heure prévue pour l'attaque...

Une minute, interminable, s'écoula. Puis un imperceptible coup de sifflet parvint à nos oreilles. La 22e quittait ses tranchées.

Il y avait environ trois cents mètres entre ces tranchées et la corne de bois que nos amis avaient pour mission de nettoyer. Trois cents mètres à franchir, en se défilant, la plupart du temps sur le ventre, un bon quart d'heure.

La nuit était froide, mais, au ciel gris, de fins nuages, déjà cuivrés vers l'est, faisaient prévoir une belle journée.

Ce sont des instants tragiques que ceux qui se déroulent dans une semblable attente. Cependant aucun de ceux qui ont réchappé de la terrible chose n'a jamais regretté de les avoir vécus.

Soudain, un coup de feu, sec, au fond de la vallée. Puis deux, trois... Un petit poste allemand qui donnait l'éveil, mais trop tard à en juger par le temps écoulé : les nôtres devaient être sur eux.

Alors, sur notre droite, comme une toile métallique qu'on déchire, la fusillade se déchaîna. C'était la 23e compagnie qui, suivant les ordres reçus, exécutait un feu à volonté pour fixer les Allemands d'en face et les empêcher de porter secours à leurs camarades attaqués.

Maintenant toute la ligne ennemie répondait avec une nervosité de bon augure. Leurs balles mal dirigées passaient très haut au-dessus de nos têtes. Seulement, par instants, une branchette hachée tombait à côté de nous comme une feuille parachute de tilleul. Ceux qui ont combattu dans les bois connaissent cette impression-là.

Ce vacarme sec durait depuis cinq minutes quand une flamme immense monta dans le ciel, vers notre droite, éclaboussant toutes les hauteurs d'en face, puis s'éteignant sous une pluie de débris. Au même instant, une détonation énorme, sourde, retentissait.

« Le coup a réussi, murmurai-je à Vignerte. Il y avait un fourneau de mine. Ils sont arrivés à le faire sauter. »

Sur notre front, la fusillade reprenait de plus belle. Puis, brusquement, tout se tut. Une fusée, de nos lignes, s'élevait.

Cette fusée indiquait à l'artillerie que la 22e venait de regagner sans encombre ses tranchées, que c'était à elle d'entrer en ligne. Aussitôt le tir de barrage se déclencha.

De l'arrière, on les entendait venir maintenant, les monstres invisibles, décrivant au-dessus de nous leurs mortelles paraboles. Vrombissement qui grandit, et qui semble si lent, si lent, qu'on ne s'explique pas comment on ne peut arriver à apercevoir un de ces oiseaux qui font tant de bruit.

Et c'était l'arrivée sur les tranchées ennemies, la flamme bleue et rouge, la poussière et les débris qui montent comme une jaune colonne, puis l'épouvantable bruit de l'éclatement.

A la jumelle, Vignerte et moi suivions les effets du tir.

Tout à coup, j'entendis qu'on m'appelait.

C'était notre homme de liaison auprès du chef de bataillon. Il arrivait, essoufflé d'avoir couru.

« Mon lieutenant! Mon lieutenant!

— Eh bien?

— Le chef de bataillon! Il vous demande sur l'heure au poste de commandement.

— J'y vais, dis-je à Vignerte. Qu'y a-t-il de nouveau là-bas? demandai-je à l'homme. Sais-tu si le coup de la 22ᵉ a réussi?

— A merveille, mon lieutenant, ils n'ont perdu que deux hommes. Ils ont fait sauter la mine, désorganisé la tranchée, et ramené près de quarante prisonniers. Du très beau travail. Mais allez vite, le commandant est pressé. »

Je pris ma course; un cheminement assez commode conduisait au poste de commandement, situé à quelque cent mètres en arrière. Seul, un passage, une espèce de glacis, n'était pas défilé. Je le franchis sans augmenter mon allure, car à ce moment la ligne allemande, muette sous notre bombardement, ne faisait courir aucun danger.

Le commandant m'attendait sur le seuil de sa cabane.

« Ah! vous voilà. Excusez-moi de vous avoir fait courir. Le succès de la 22ᵉ en est la cause.

— Qu'y a-t-il pour votre service, mon commandant?

— Voilà. Vous êtes agrégé d'allemand, or, moi, depuis Saint-Cyr, je n'ai guère pratiqué cette fichue langue. Nous avons ici un prisonnier de marque. J'ai vainement essayé de l'interroger. Pas moyen de lui arracher un mot. Pourtant, il peut nous fournir des renseignements utiles. C'est un commandant du génie. C'est lui qui organisait la sape qu'on vient de si bien bouleverser. Coste, qui lui a mis la main dessus, va sûrement passer capitaine.

— Un officier supérieur qui ne parle pas français, c'est bizarre! dis-je; vous savez que beaucoup affectent de ne pas savoir.

— Je ne l'ignore pas, c'est pourquoi je vous ai appelé. Il ne pourra pas prétendre qu'il ne comprend pas l'excellent allemand dans lequel vous allez l'interroger. Voilà le citoyen. »

J'entrai dans la cabane du chef de bataillon, où le commandant allemand était gardé par deux soldats de la 22ᵉ, les mêmes qui l'avaient escorté depuis les tranchées ennemies. Leur fierté en était si grande qu'ils ne purent s'empêcher de fixer pour moi ce point d'histoire.

« D'un coup de revolver, il a démoli le pauvre Labourdette. Mais, avec le lieutenant Coste, on lui est tombé dessus. »

C'était un homme d'une quarantaine d'années, aux yeux bleus et froids, à la physionomie dure et intelligente. Il répondit à peine au salut que je lui adressai en entrant.

Je lui posai, sans aucun succès, quelques questions.

« Monsieur, finit-il par dire dans le français le plus correct, comme je l'avais prévu, à quoi rime cet interrogatoire? Je ne pourrai vous dire que des choses sans importance, comme mon nom, dont vous n'avez cure. Quant à des renseignements militaires, je suis

officier, vous aussi. Si vous étiez à ma place, vous ne diriez rien, n'est-ce pas? Souffrez que j'en agisse de même. »

Et il se renferma dans le mutisme le plus dédaigneux.

« Nous n'en tirerons rien, dis-je au commandant. N'avait-il pas un seul papier sur lui, quand on l'a arrêté?

— Rien du tout, répondit piteusement mon chef.

— Vous n'avez rien trouvé? dis-je aux soldats.

— Rien, mon lieutenant, sauf cela, répondit l'un d'eux en tirant de sa capote un papier froissé. Mais c'est tout déchiré et il n'y en a pas long.

— Donnez tout de même », dis-je.

Ecrit, au crayon, à demi effacé, le lambeau de feuille qu'il me tendit était un brouillon de lettre. Dès que j'y eus jeté les yeux, une véritable commotion électrique me secoua.

Le prisonnier me dévisageait d'un regard narquois.

Je marchai sur lui avec colère.

« Je sais votre nom, maintenant, monsieur, lui dis-je.

— Cela m'étonne beaucoup, répondit-il avec insolence, car le papier que vous avez en votre possession n'est pas signé, et vous n'êtes pas sorcier.

— Misérable, lui dis-je en éclatant, vous vous appelez Ulrich de Boose et vous êtes l'assassin du grand-duc Rodolphe de Lautenbourg-Detmold. »

Une pâleur mortelle avait envahi son visage. Ses mains se raidirent. Il eut pourtant la force de dire d'une voix tremblante :

« Monsieur le commandant, je proteste contre le traitement qu'on m'inflige. Veuillez empêcher votre lieutenant d'insulter un adversaire prisonnier. C'est tout à fait indigne.

— Foutez-moi la paix! hurla mon chef. Mais pardieu,

lieutenant, qu'est-ce que tout cette histoire? Que contient ce papier? »

Je me remettais à peine de mon émotion.

« Excusez-moi, mon commandant, murmurai-je. Je ne me sens pas capable de vous expliquer... Mais voulez-vous être assez bon pour envoyer chercher immédiatement le lieutenant Vignerte? Il sait qui est cet homme, il vous dira tout.

— Je veux bien, maugréa le chef de bataillon. En voilà une affaire! »

Et il donna l'ordre.

Au nom de Vignerte, l'Allemand avait blêmi davantage. Il me jetait des regards furieux. Si les deux soldats ne l'avaient pas solidement maintenu, il se serait élancé sur moi pour essayer de me ravir le papier que j'étais en train de relire avec un peu plus de calme :

« Une dernière fois, y était-il dit, je vous répète ceci : je connais trop votre façon d'en user avec les autres pour ne pas deviner celle que vous voulez appliquer à mon égard. J'ai accepté de partir pour la guerre. Mais elle se prolonge; tous les jours, je risque de n'en pas revenir. C'est votre désir sans doute : après le grand-duc, après la grande-duchesse, moi, n'est-ce pas? Et désormais vous serez tranquille... Je ne suis pas si sot. Si d'ici quinze jours, je ne suis pas rappelé en arrière, affecté à un état-major, avec l'avancement que je crois devoir attendre de mes services, je vous annonce ceci : un récit *détaillé* de la chose sera *publié,* par les soins d'amis à moi, dans autant de journaux neutres ou ennemis qu'il le faudra, adressé à toutes les personnes dont vous avez à redouter l'édification. Et je puis vous certifier qu'on y ajoutera d'autant plus de foi que ces documents contiendront un spécimen d'une écriture que vous connaissez bien. »

Cette dernière phrase était rédigée dans une écriture absolument différente de celle du reste de la lettre. L'une fine et déliée, l'autre énergique et forte. Les deux, cette nuit, j'avais pu les examiner. L'une était celle des lettres écrites au Cameroun par le grand-duc Rodolphe, l'autre celle du plan de voyage retrouvé dans les Mittheilungen.

Tout était clair, maintenant, horriblement clair.

« Vignerte va savoir enfin », pensai-je avec un transport de joie.

Et soudain une sueur me glaça les tempes : cette science, de quel prix allait-il la payer? La grande-duchesse! Malheureux que j'étais, je n'avais plus pensé qu'elle aussi...

« Il ne faut pas! il ne faut pas », murmurai-je...

Trop tard.

« Voilà le lieutenant », dit notre commandant qui, du seuil de sa cabane, surveillait l'horizon.

C'en était fait. L'irréparable allait s'accomplir.

Le jour naissait, couvrant de rose et de bleu la campagne. Sur un arbuste dévasté, un pinson chanta.

Dans le ravin, en bas, j'aperçus à mon tour Vignerte. Il en gravissait sans hâte la pente. Je voyais son long corps souple; puis, peu à peu, sa fine tête brune se distingua.

« Mon Dieu! m'écriai-je.

— Voyons, me dit le commandant, monsieur, êtes-vous devenu tout à fait fou? »

Maintenant Vignerte n'était plus qu'à une centaine de mètres de nous. Je le vis allonger le pas, pour franchir le glacis non défilé qui le séparait encore de l'abri du commandant.

Alors, du fond nacré de l'horizon, un bruit horrible naquit, puis grandit en soufflant. Une masse invisible s'approchait dans le ciel blanchissant, avec la trépidation d'un train entrant en gare. Cela grandissait, grandissait, et nous comprenions que ce serait sur nous qu'allait aboutir la diabolique parabole.

Comme de petites grenouilles, de-ci, de-là, on voyait les soldats bondir dans leurs trous.

Surpris juste au milieu du glacis dénudé, Vignerte s'était arrêté. Continuer, revenir : nous sentîmes sa fatale indécision.

La chose faisait maintenant un bruit de tonnerre.

« Vignerte! criai-je éperdument. Couchez-vous, pour Dieu, couchez-vous! »

Une seconde encore, je l'aperçus. Il ne bougeait plus. Tout droit, face à l'ouragan, avec un mince sourire consentant et extasié, il contemplait l'aurore.

Alors, ce fut l'écrasement.

Une grêle de pierres et d'acier s'abattit sur le toit de l'abri où, d'un geste brusque, mon chef de bataillon m'avait entraîné avec lui. Quant la sinistre pluie eut cessé, les yeux agrandis d'horreur, nous regardâmes.

Au flanc du talus, il y avait à présent un énorme entonnoir noirâtre, avec, sur le bord gauche, de pauvres débris rouges et bleus.

*

Ainsi mourut, le 31 octobre 1914, le lieutenant Vignerte, pour avoir aimé la grande-duchesse Aurore de Lautenbourg-Detmold.

BRODARD ET TAUPIN — IMPRIMEUR - RELIEUR
Paris-Coulommiers. — France.
05.231-XII-11-2265 - Dépôt légal n° 3980, 4e trimestre 1964.
LE LIVRE DE POCHE - 4, rue de Galliéra, Paris.

CLASSIQUES DE POCHE RELIÉS

Les œuvres des grands auteurs classiques, dans le texte intégral et présentés par les meilleurs écrivains contemporains.
Une présentation particulièrement soignée, format 17,5 × 11,5, reliure de luxe pleine toile, titre or, fers spéciaux, tranchefile, gardes illustrées, sous rodhoïd transparent.

BALZAC
- S. Une ténébreuse affaire.
- D. Le cousin Pons.
- D. La cousine Bette.
- D. Le père Goriot.
- D. La Rabouilleuse.
- D. Les Chouans.
- S. La Duchesse de Langeais.
- S. Le Colonel Chabert.

BAUDELAIRE
- S. Les Fleurs du Mal.
- S. Le Spleen de Paris.

CHODERLOS DE LACLOS
- D. Les liaisons dangereuses.

DOSTOIEVSKI
- S. L'éternel mari.
- D. L'idiot, *tome I.*
- D. L'idiot, *tome II.*
- S. Le joueur.

DUCASSE (Lautréamont)
- D. Œuvres complètes (Les Chants de Maldoror).

FLAUBERT
- D. Madame Bovary.

GOGOL
- D. Les âmes mortes.

HOMÈRE
- D. Odyssée.

VICTOR HUGO
- D. Les misérables, *tome I.*
- D. Les misérables, *tome II.*
- D. Les misérables, *tome III.*

LA FONTAINE
- D. Fables.

MACHIAVEL
- S. Le prince.

MÉRIMÉE
- D. Colomba.

NIETZSCHE
- D. Ainsi parlait Zarathoustra.

OVIDE
- S. L'art d'aimer.

PASCAL
- D. Pensées.

POE
- D. Histoires extraordinaires.
- S. Nouvelles histoires extraordinaires.

ABBÉ PRÉVOST
- S. Manon Lescaut.

RABELAIS
- D. Pantagruel.

RIMBAUD
- S. Poésies complètes.

STENDHAL
- D. La chartreuse de Parme.
- D. Le rouge et le noir.

SUÉTONE
- D. Vies des douze Césars.

TACITE
- D. Histoires.

TOLSTOI
- D. Anna Karénine, *tome I.*
- D. Anna Karénine, *tome II.*
- S. La sonate à Kreutzer.
- S. Enfance et adolescence.

VERLAINE
- S. Poèmes Saturniens.
- S. Jadis et Naguère. Parallèlement.

VILLON
- S. Poésies complètes.

VOLUMES PARUS ET A PARAITRE DANS LE 2e SEMESTRE 1964

BALZAC
D. La Vieille fille. Le Cabinet des Antiques.

BAUDELAIRE
S. Paradis artificiels.

CHATEAUBRIAND
T. Mémoires d'outre-tombe, *tome I.*
T. Mémoires d'outre-tombe, *tome II.*
T. Mémoires d'outre-tombe, *tome III.*

DOSTOIEVSKI
D. Crime et châtiment, *tome I.*
D. Crime et châtiment, *tome II.*

MARY
S. Tristan et Iseut.

MUSSET
D. Théâtre, *tome I.*

NERVAL
S. Poésies.

RONSARD
D. Les Amours.

SHAKESPEARE
D. Hamlet-Othello-Macbeth.

SOPHOCLE
D. Tragédies.

S. (Volume simple) **3,90** F *taxe locale incluse.*
D. (Volume double) **4,90** F *taxe locale incluse.*
T. (Volume triple) **5,90** F *taxe locale incluse.*